DÉPRESSION

MODUS VIVENDI

IMPORTANT

Ce livre ne vise pas à remplacer les conseils médicaux personnalisés, mais plutôt à les compléter et à aider les patients à mieux comprendre leur problème.

Avant d'entreprendre toute forme de traitement, vous devriez toujours consulter votre médecin.

Il est également important de souligner que la médecine évolue rapidement et que certains des renseignements sur les médicaments et les traitements contenus dans ce livre pourraient rapidement devenir dépassés.

© 2008 Family Doctor Publications, pour l'édition originale.
© 2013, 2014 Les Publications Modus Vivendi inc., pour l'édition française.
© Andrzej Tokarski I Dreamstime.com, pour l'image de la couverture.

L'édition originale de cet ouvrage est parue chez Family Doctor Publications sous le titre *Understanding Depression*

LES PUBLICATIONS MODUS VIVENDI INC.
55, rue Jean-Talon Ouest, 2ᵉ étage
Montréal (Québec) H2R 2W8
CANADA

www.groupemodus.com

Éditeur : Marc Alain
Design de la couverture : Gabrielle Lecomte
Traduction : Ghislaine René de Cotret
Révision : Agnès Saint-Laurent

ISBN : 978-2-89523-843-0

Dépôt légal – Bibliothèque et Archives nationales du Québec, 2014
Dépôt légal – Bibliothèque et archives Canada, 2014

Nous reconnaissons l'aide financière du gouvernement du Canada par l'entremise du Fonds du livre du Canada pour nos activités d'édition.

Gouvernement du Québec — Programme de crédit d'impôt pour l'édition de livres — Gestion SODEC

Imprimé en Chine

Table des matières

L'auteur

Docteur Kwame McKenzie est professeur de psychiatrie à l'Université de Toronto et psychiatre principal au Centre de toxicomanie et de santé mentale (CAMH). Il a œuvré à tous les niveaux, des soins cliniques à la rédaction de politiques gouvernementales. Il a à cœur de favoriser une bonne compréhension des maladies mentales. Il a publié au-delà de 100 articles académiques et 4 livres, a animé une série télévisée et a mené plusieurs entrevues à la radio sur ce sujet.

Introduction

Qu'est-ce que la dépression ?

Tout le monde a l'humeur morose de temps à autre. Par exemple, lors d'une rupture, une personne peut être bouleversée, pleurer, cesser de manger, être en colère et irritable, mal dormir ainsi que devenir grincheuse et anxieuse. Habituellement, l'humeur morose s'estompe après quelques jours et la vie revient à la normale. On dit alors qu'on a eu un moment de déprime, qu'on a perdu le moral, qu'on en a eu marre ou encore qu'on a eu le cafard.

Les médecins n'englobent pas de telles humeurs moroses dans ce qu'on appelle la dépression. Ils utilisent plutôt ce terme pour décrire une maladie plus grave qui touche une personne pendant au moins quelques semaines, tant sur le plan physique que sur le plan psychique. La dépression peut se manifester sans raison apparente et même mettre la vie de la personne en danger. Aucun symptôme particulier ne permet de dire s'il s'agit d'une simple baisse de l'humeur ou de ce que certaines personnes appellent une « dépression clinique ». Bon nombre des symptômes se ressemblent; toutefois, dans la dépression, ils sont plus intenses et durent plus longtemps.

En règle générale, si l'humeur morose affecte toutes les sphères de votre vie, qu'elle dure deux semaines ou qu'elle génère des pulsions suicidaires, il convient d'obtenir de l'aide. Essayez de vous souvenir que la dépression est une maladie qui se traite et que vous vous sentirez mieux avec le temps.

Quatre-vingts pour cent des gens atteints de dépression sont traités par leur omnipraticien seulement. Ne craignez pas que votre omnipraticien interprète votre dépression comme un signe de faiblesse. Les médecins de famille traitent des dépressions depuis des années et sont formés pour les diagnostiquer et les soigner. Ils peuvent prescrire des médicaments, mais il est probable qu'ils vous parleront aussi de groupes d'entraide, de psychothérapies et de techniques de relaxation qui peuvent vous aider. Ils peuvent vous donner des conseils pour vous aider à réduire votre tension (stress) ou à surmonter un deuil ou une autre perte. Les omnipraticiens sont des mines de renseignements.

Si vous ne vous sentez pas capable de parler à votre médecin, parlez à un ami. Vous serez étonné de découvrir combien de gens ont vécu la dépression, soit directement, soit parce qu'ils ont des proches qui en ont souffert. Ces personnes peuvent être en mesure de vous soutenir et de vous conseiller. Et même si elles ne font que vous écouter, sachez que le simple fait de se confier est habituellement bénéfique.

Fréquence de la dépression

Beaucoup de célébrités ont souffert de dépression, y compris Abraham Lincoln, la reine Victoria et Winston Churchill, qui surnommait sa dépression son « chien noir ».

Bon nombre d'écrivains et d'acteurs ont également souffert de dépression. William Styron, auteur de l'ouvrage *Le choix de Sophie*, entre autres, et lauréat du prix Pulitzer, a documenté sa dépression profonde et la manière dont il l'a surmontée dans son livre *Face aux ténèbres*, et le comique Spike Milligan a publié un livre sur sa dépression intitulé *Depression and How to Survive It*.

À propos de la dépression

- Au moins une femme sur quatre et un homme sur dix souffriront de dépression durant leur vie.

- Chaque année, plus d'un million de personnes au Canada vivent un épisode dépressif majeur.

- Chaque omnipraticien voit en moyenne un patient dépressif chaque jour.

- La dépression touche tous les groupes d'âge.

- Les jeunes femmes ont plus de chances de souffrir de dépression que les hommes.

- Les hommes âgés ont plus de chances de souffrir de dépression que les femmes âgées.

On a constaté une augmentation des taux de dépression au cours des 40 dernières années, ce qui pourrait résulter de notre mode de vie moderne. Pour beaucoup de gens, la vie est de plus en plus stressante et la tension (le stress) peut mener à la dépression. Le nombre croissant de divorces, le taux de criminalité à la hausse, les heures de travail prolongées chez certains et le chômage chez d'autres ne sont que quelques-uns des facteurs qui font de la vie une expérience éprouvante.

Le lieu de vie a aussi une incidence sur le risque de dépression. Une étude a montré que les habitants des quartiers défavorisés ont deux fois plus de chances de souffrir de dépression que ceux sur des îles, qui vivent dans un environnement naturel. Bien que la raison en soit difficile à déterminer, il est clair que l'environnement influe sur le risque de dépression.

Le risque de dépression dépend du sexe et de l'âge ainsi que de la situation de famille. Les femmes ont davantage tendance à souffrir d'une dépression durant leurs années reproductrices. Chez les 55 ans et plus cependant, les hommes sont plus à risque que les femmes. Le risque augmente également chez les hommes séparés et chez les veufs. Les femmes et les hommes mariés présentent les risques les plus faibles. Il y a une bonne nouvelle : la dépression se traite efficacement, quelle qu'en soit la cause. La plupart des gens atteints qui reçoivent un traitement voient leur état s'améliorer.

POINTS CLÉS

- On considère l'humeur morose comme une dépression dans le cas où elle persiste et où elle affecte toutes les sphères de votre vie.

- La dépression est répandue.

- La dépression peut être traitée efficacement.

Qu'est-ce que la dépression ?

Une maladie du corps et de l'esprit

La dépression est une maladie du corps et de l'esprit. La plupart des gens atteints éprouvent des symptômes à la fois physiques et psychologiques, dont la nature varie toutefois d'une personne à une autre. Des symptômes donnés seront plus ou moins intenses selon les personnes. Certaines ne rapportent aucun symptôme, mais voient leur comportement changer : par exemple, une femme ayant toujours scrupuleusement respecté la loi qui a consulté ma clinique s'était mise à faire du vol à l'étalage une fois touchée par la dépression.

Symptômes psychologiques
Humeur morose

Même si on emploie le nom « dépression », ce ne sont pas toutes les personnes dépressives qui manquent de moral. Certaines sont anxieuses, d'autres avouent être émotionnellement engourdies, et d'autres encore ne connaissent pas de changements de l'humeur, mais mentionnent des symptômes physiques ou un changement de leur comportement.

Symptômes de la dépression

La dépression peut provoquer un grand éventail de symptômes physiques et psychologiques. Les symptômes de la dépression peuvent varier grandement d'une personne à une autre.

Psychologiques

- Humeur morose
- Perte d'intérêt pour des choses auparavant plaisantes
- Anxiété
- Engourdissement émotionnel
- Pensées dépressives
- Problèmes de concentration et de mémoire
- Délires
- Hallucinations
- Pulsions suicidaires

Physiques

- Troubles du sommeil – difficulté à s'endormir, réveil tôt le matin ou excès de sommeil
- Ralentissement mental et physique
- Augmentation ou diminution de l'appétit
- Gain ou perte de poids
- Perte d'intérêt pour les relations sexuelles
- Fatigue
- Constipation
- Règles irrégulières

L'humeur morose liée à la dépression est beaucoup plus importante que ce qu'on ressent lorsqu'on est désappointé ou qu'on en a ras le bol de quelque chose. Il s'agit d'un sentiment persistant de tristesse, de vide, de perte et de crainte. Certains la comparent à vivre constamment avec un nuage au-dessus de la tête ombrageant toutes les sphères de leur vie.

Variation diurne

Dans la dépression modérée ou grave, l'humeur morose est souvent pire le matin et s'améliore légèrement au cours de la journée, sans toutefois disparaître complètement. C'est ce qu'on appelle la variation diurne.

Anhédonie

L'humeur morose vous empêche de prendre plaisir à quoi que ce soit et peut même vous faire perdre tout intérêt dans vos loisirs. Rien ne vous apporte du plaisir. Ce symptôme porte le nom d'anhédonie.

Dans la dépression plus légère, l'humeur morose peut être pire le soir que le matin, et certains jours ne sont pas si mal. Malheureusement, il y a moins de bonnes journées que de mauvaises. Avec ce type de dépression, vous pouvez apprécier la compagnie d'autres personnes, quoique sans stimulation vous risquiez de redevenir tout aussi désenchanté.

L'humeur morose s'accompagne d'une tendance à pleurer plus souvent, et ce, au moindre incident ou même sans aucune raison.

Anxiété

Lorsque nous nous sentons menacés, nous libérons une hormone appelée adrénaline et le sang s'achemine vers nos muscles et notre cerveau pour nous aider à penser

rapidement et à fuir si besoin est. Nous nous sentons énervés, agités et tendus, mais si rien ne se produit, ce sentiment disparaît en quelques minutes. Chez la personne dépressive, ces sentiments d'anxiété peuvent durer pendant des mois.

Certaines personnes se réveillent le matin dans un état de grande anxiété parce qu'elles redoutent la journée qui s'annonce. L'anxiété peut excéder l'humeur morose et devenir le symptôme le plus important de la dépression. L'anxiété peut vous rendre irritable et agressif, ce qui est de toute évidence difficile à endurer pour vos proches de même que pour vous.

Engourdissement émotionnel

Les personnes qui souffrent de dépression grave rapportent qu'elles ont l'impression d'avoir perdu le contact avec leurs émotions. C'est là l'un des symptômes les plus pénibles de la dépression. Vous vous sentez engourdi. Vous n'arrivez pas à pleurer et vous sentez comme si vous n'aviez plus de larmes. Vous pouvez croire que vous ne faites pas partie du monde puisque vous ne ressentez rien. Vous pouvez éprouver de l'éloignement et de l'indifférence envers les gens, même envers vos proches, comme votre conjoint, votre famille ou vos enfants.

Pensées dépressives

La dépression change votre façon de penser. Vous voyez le monde sous un autre jour et tout vous semble négatif. Cette vision déformée ne fait qu'accentuer la dépression.

Vous pourriez vous blâmer pour des événements malheureux qui sont survenus sans reconnaître les bonnes choses que vous avez faites. Vous en venez à oublier vos réalisations positives tandis que vous vous rappelez clairement toutes vos erreurs en leur accordant une importance démesurée.

Pensées dépressives

Les pensées dépressives amènent une personne à voir le monde sous un jour négatif. Elles comportent trois éléments :

1. Des pensées négatives du type « Je ne vaux rien au travail ».

2. Des attentes élevées et exagérées, par exemple « Il m'est impossible d'être heureux à moins que tout le monde m'aime et me trouve excellent au travail ».

3. Des erreurs de réflexion, par exemple :

   (a) sauter à des conclusions négatives;

   (b) se concentrer sur les aspects négatifs d'une situation et ignorer les bons;

   (c) en venir à une conclusion générale à partir d'un incident unique;

   (d) en venir à la conclusion que vous êtes responsable d'événements qui n'ont rien à voir avec vous.

Il se peut que vous vous concentriez sur les détails négatifs et que vous omettiez de voir la vue d'ensemble. Voici un exemple exagéré pour illustrer cela : un élève obtient 99 % à un examen, mais au lieu de se féliciter de son bon rendement, il ne pense qu'au 1 % qu'il n'a pas réussi.

Vous pouvez avoir tendance à tirer rapidement des conclusions négatives et à déduire de grandes conclusions à partir d'événements uniques.

Par exemple, une mannequin que j'ai traitée dans le passé se croyait laide et était persuadée que personne ne l'aimait parce qu'un homme qu'elle avait croisé dans la rue l'avait regardée d'une drôle de façon.

Ces modes de pensée négatifs vous minent de l'intérieur. Ils causent de l'inquiétude, une perte de confiance en soi et un sentiment d'inaptitude, et vous laissent aux prises avec des pensées moroses, des doutes et de l'anxiété. En conséquence, votre dépression et votre anxiété s'aggravent, entraînant un cercle vicieux.

Étude de cas : Caroline

Caroline est secrétaire. Son patron, pressé parce qu'il risque de manquer son train, lui dit en partant : « Pouvez-vous me taper ce rapport? J'y ai apporté quelques corrections. » Caroline est déprimée et, pour cette raison, elle se sent tout à fait nulle. Elle croit qu'elle doit retaper le rapport parce qu'elle est incompétente. Cela la déprime encore plus, car elle a des attentes déraisonnables envers elle-même, convaincue qu'elle doit être parfaite au travail pour être en mesure de profiter de la vie.

En réalité, Caroline fait bien son travail, mais elle ne le voit pas ainsi. Elle se concentre sur les petites erreurs plutôt que sur les réussites. Elle oublie qu'on vient de lui accorder une hausse de salaire pour la qualité de son travail. Elle omet

aussi le fait que son patron est reconnu pour être un grand indécis et qu'il passe son temps à modifier ses rapports. Elle se concentre sur les aspects négatifs et saute à une conclusion générale à partir d'un incident unique. Cela la déprime.

Une autre idée lui vient en tête pendant qu'elle tape le rapport : « Le patron est-il en retard parce qu'il a dû corriger mon mauvais travail ? S'il n'obtient pas ce contrat, ce sera entièrement ma faute ! » Caroline se blâme pour des choses dont elle n'est pas responsable, ce qui nourrit sa dépression.

Problèmes de concentration et de mémoire

Il devient difficile de penser à autre chose lorsqu'on croule sous les inquiétudes et les pensées dépressives. Vous pourriez éprouver des problèmes de concentration, lesquels entraînent d'autres problèmes. Il faut se concentrer sur une chose afin de la mémoriser; il n'est donc pas étonnant que mauvaise concentration et problèmes de mémoire aillent de pair. Les problèmes de concentration mènent aussi à de l'indécision et à de l'inattention; vous pouvez vous sentir confus et perplexe. Ils peuvent devenir si importants qu'on les prend à tort pour de la démence.

Délires et hallucinations
Délires

Dans une dépression grave, vos pensées peuvent être tellement déformées que vous perdez le contact avec la réalité. Votre esprit peut commencer à vous jouer des tours, au point que vous craigniez de devenir fou. Ce n'est pas le cas; vous souffrez simplement d'une dépression grave et irez mieux après un traitement. Les délires peuvent se manifester dans la dépression grave, mais Dieu merci, ils sont rares (car ils sont si pénibles).

Un délire est une fausse croyance fermement ancrée chez la personne qui la possède. Dans la dépression, le délire reflète et renforce l'humeur dépressive. C'est arrivé à Jacques, un de mes anciens patients. Jacques croyait qu'il devrait se livrer à la police parce qu'il était sorti d'un magasin sans payer une pomme par erreur, il y avait cinq ans de cela. Il était convaincu que la police le recherchait et qu'il ne lui échapperait jamais. Il avait le sentiment qu'il avait déshonoré sa famille et qu'il ne valait rien. Il m'était impossible de lui faire admettre qu'il n'était pas l'ennemi public numéro un, que tout le monde pouvait commettre une erreur et que personne ne se préoccupait de la sienne.

Il y a des gens qui sont convaincus qu'ils sont les plus mauvaises personnes au monde ou qu'on cherche à les éliminer à cause de leur grande méchanceté. Certaines personnes croient ne pas avoir un sou, d'autres, qu'elles se décomposent, d'autres encore, qu'elles sont mortes. Il y a autant de formes de délires que d'idées dans le cerveau humain, mais tous reflètent l'humeur et les pensées dépressives de la personne.

Hallucinations

Alors que les délires sont de fausses croyances, les hallucinations consistent à percevoir des choses qui ne sont pas réelles – habituellement des sons. Par exemple, des personnes atteintes de dépression grave entendent des voix alors qu'il n'y a personne. Les voix sonnent comme si elles venaient de personnes qui se trouveraient dans la pièce et semblent effroyablement réelles. Elles formulent souvent des critiques à l'endroit de la personne et lui disent qu'elle est mauvaise. Ces voix renforcent la dépression. Certaines personnes voient ou sentent des choses qui ne sont pas là, mais c'est plus rare.

Pulsions suicidaires

Au plus profond d'une dépression, le passé apparaît sombre et rempli d'erreurs; le présent est tout aussi terrible et on redoute l'avenir. Certaines personnes en viennent à la conclusion que la vie ne vaut pas la peine d'être vécue, que tout le monde serait bien mieux sans elles et qu'elles devraient s'enlever la vie.

Beaucoup de personnes dépressives pensent au suicide, même de façon passagère. Bon nombre ne pensent pas à se tuer, mais se mettent au lit le soir en espérant ne pas se réveiller le lendemain et échapper ainsi au supplice du quotidien.

La plupart ne passent pas à l'action, peut-être à cause du caractère radical du geste, de l'effet qu'il aurait sur leur famille ou de leurs croyances religieuses. Certains aboutissent à la conclusion qu'ils ne se sont pas enlevé la vie par lâcheté, ce qui ajoute à leur honte et approfondit leur dépression.

Penser au suicide signifie que vous pourriez passer à l'action. Obtenez de l'aide sans tarder : consultez votre omnipraticien, rendez-vous au service des accidents et des urgences ou téléphonez à une ligne secours. On peut traiter la dépression.

Symptômes physiques

La dépression peut engendrer une panoplie de symptômes physiques. Les personnes atteintes en viennent souvent à croire qu'elles souffrent d'une maladie physique parce qu'elles sont très fatiguées, qu'elles ne sont pas dans leur assiette ou qu'elles éprouvent de la douleur.

Troubles du sommeil

Les troubles du sommeil sont courants dans la dépression et sont parfois en partie responsables de la fatigue ressentie. Dans une dépression modérée ou grave, vous pouvez vous réveiller beaucoup plus tôt qu'à l'habitude sans arriver à vous rendormir. Toutes les personnes dépressives peuvent avoir de la difficulté à s'endormir parce qu'elles

s'inquiètent, ainsi que connaître des nuits coupées, se réveillant plusieurs fois avant le matin.

Ralentissement mental et physique

Si vous êtes dépressif, vous pouvez vous sentir comme une machine bloquée. Vous êtes constamment fatigué, vous avez de la difficulté à accomplir vos tâches quotidiennes, tout devient un effort et il vous semble que tout est au ralenti. Vous pouvez parler de façon plus lente et monotone; vous pouvez même bouger plus lentement. Les médecins parlent alors de retard psychomoteur.

Parfois, les fonctions corporelles ralentissent ou bloquent elles aussi. On peut avoir la bouche sèche ou souffrir de constipation. Certaines femmes cessent d'avoir leurs règles ou ont des règles irrégulières.

Perte de l'appétit

Durant une dépression, une personne peut perdre beaucoup de poids. La nourriture peut sembler inintéressante et fade, et souvent vous n'avez même pas faim. Certaines personnes souffrant de dépression grave arrêtent complètement de manger et de boire, mais ces cas sont rares.

Symptômes physiques inverses

Au lieu des symptômes physiques habituels de la dépression, comme les troubles du sommeil, la perte de l'appétit et la perte de poids, certaines personnes éprouvent ce qu'on appelle des symptômes physiques inverses. Elles dorment davantage, elles ont plus d'appétit et elles prennent du poids. Consultez un médecin si vous avez une humeur morose et présentez ces symptômes.

D'autres symptômes physiques

La dépression peut provoquer à peu près n'importe quel symptôme physique. Des douleurs et une sensation de pression sont fréquentes, touchant la plupart du temps la tête, le visage, le dos, la poitrine et les intestins. Des gens se présentent souvent aux services des accidents et des urgences en raison de douleurs à la poitrine et s'inquiètent de la santé de leur cœur alors qu'en réalité ils souffrent de dépression. La douleur est réelle, mais elle est causée par la dépression; leur cœur va bien.

Relations sexuelles

Beaucoup de gens cessent d'avoir des relations sexuelles lorsqu'ils souffrent de dépression, et ce, pour plusieurs raisons. Certaines personnes n'arrivent pas à avoir une relation physique alors qu'elles sont émotionnellement engourdies. D'autres se voient de façon tellement négative qu'elles ne peuvent pas se détendre suffisamment. Ces troubles psychologiques peuvent mener à des problèmes physiques : les hommes peuvent avoir de la difficulté à entrer en érection, et les femmes peuvent trouver le coït douloureux parce qu'elles sont insuffisamment lubrifiées. Bon nombre de personnes dépressives n'ont aucun intérêt pour la sexualité sans savoir pourquoi.

Dépression masquée

Toutes les personnes souffrant de dépression ne manquent pas de moral; certaines disent qu'elles ne sont pas déprimées, mais consultent tout de même leur omnipraticien pour des symptômes tels que des douleurs, des maux de tête (céphalées) ou de fatigue, qui peuvent signaler une dépression. Les examens physiques et les analyses ne révèlent pas de cause physique à leurs malaises et les antidépresseurs sont le seul traitement qui fonctionne. Il se pourrait que leur subconscient leur joue des tours et ne permette pas à leur conscient d'admettre leurs sentiments de dépression.

Qu'est-ce qui cause les symptômes ?

Personne ne sait vraiment ce qui cause les symptômes de la dépression. Les scientifiques ont observé des changements dans les substances chimiques du cerveau et dans le taux de certaines hormones de l'organisme. Il y a aussi des preuves que certaines personnes possédant des gènes particuliers ont plus de chances de faire une dépression.

Déficiences en substances chimiques

Les symptômes de la dépression pourraient être causés par de faibles taux de certaines substances chimiques dans le cerveau. Afin de comprendre ce qui se passe, il faut d'abord comprendre le fonctionnement du cerveau. Le cerveau est constitué de milliards de cellules nerveuses, ou neurones. La plus petite action, même le fait de penser à faire quelque chose, peut exiger la participation de centaines de ces cellules nerveuses. Les cellules nerveuses doivent pouvoir communiquer entre elles pour travailler de concert. Pour ce faire, elles libèrent des substances chimiques, les neurotransmetteurs.

Il y a un petit espace qui sépare l'extrémité d'une cellule nerveuse de celle de la suivante, qu'on appelle une synapse. La première cellule nerveuse communique avec la suivante en libérant des neurotransmetteurs dans la synapse. Ces neurotransmetteurs s'attachent à la nouvelle cellule et transmettent leur message.

Des études ont montré que trois neurotransmetteurs importants, la dopamine, la sérotonine et la noradrénaline, sont en quantité insuffisante durant la dépression. Leur taux est faible dans les synapses, nuisant à la communication cérébrale et à la transmission des messages, ce qui pourrait être à l'origine des symptômes de dépression.

On ignore ce qui cause les faibles taux de ces substances chimiques. Les scientifiques ne savent pas :

- s'ils sont responsables de l'humeur dépressive;
- ou s'ils sont le résultat de l'humeur dépressive.

Il se pourrait que de faibles taux de neurotransmetteurs engendrent de la tension (du stress), puis mènent à la dépression. Beaucoup de médecins croient que les antidépresseurs fonctionnent parce qu'ils augmentent les taux de ces neurotransmetteurs.

Rôle des hormones

Les hormones peuvent jouer un rôle important dans la dépression. Il est question du rôle des hormones féminines dans la dépression à la page 106. Pour le moment, attardons-nous sur le rôle des hormones du stress. La dépression est étroitement liée aux expériences stressantes.

Hormones du stress

En période de tension (stress), l'organisme libère une gamme complexe d'hormones. D'abord, le cerveau émet de la corticolibérine, qui déclenche la libération d'une autre

Comment les cellules nerveuses transmettent les signaux

Le cerveau ressemble à un réseau de fils téléphoniques recevant et transmettant des messages dans le cerveau, ainsi que depuis et vers des parties du corps. Certains messages sont transmis par influx électriques tandis que d'autres nécessitent la libération et la transmission de substances chimiques spécifiques appelées neurotransmetteurs.

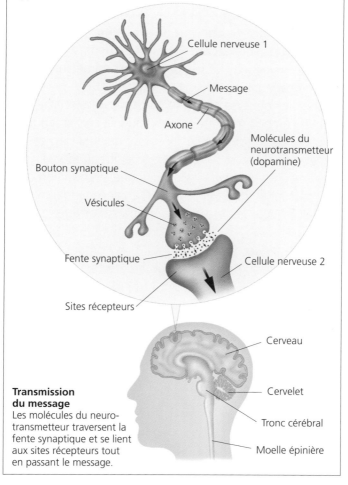

Cellule nerveuse 1

Message

Axone

Molécules du neurotransmetteur (dopamine)

Bouton synaptique

Vésicules

Fente synaptique

Cellule nerveuse 2

Sites récepteurs

Cerveau

Cervelet

Tronc cérébral

Moelle épinière

Transmission du message
Les molécules du neuro-transmetteur traversent la fente synaptique et se lient aux sites récepteurs tout en passant le message.

hormone, l'hormone adrénocorticotrope (ACTH). L'ACTH circule dans le sang jusqu'à l'abdomen où elle incite deux petites glandes situées au-dessus des reins (les surrénales) à libérer du cortisol.

Le cortisol, la corticolibérine et l'ACTH travaillent avec l'adrénaline (épinéphrine) à vous faire ressentir de la peur et de l'anxiété ainsi qu'à préparer votre corps à affronter la source de la tension (stress).

Chez la plupart des gens, les taux hormonaux reviennent à la normale dès que la situation stressante est passée. En revanche, chez la personne dépressive, l'organisme est hyperactif et les taux de cortisol ne suivent pas le profil habituel.

Chez les gens en santé, le cortisol est habituellement libéré en grande quantité le matin puis va en s'amenuisant au cours de la journée. À l'inverse, dans la dépression, la libération de cortisol reste au même niveau toute la journée. Personne ne sait si cela provoque la condition ou si c'est le résultat de la dépression. On sait cependant que le cortisol affecte les taux de neurotransmetteurs dans le cerveau.

La mesure des taux de cortisol dans l'organisme a permis de mettre au point un test pour détecter la dépression, mais ce test n'est pas au point et ne donne des résultats positifs que chez trois personnes sur dix. Il semble mieux fonctionner chez les personnes souffrant de dépression grave avec des symptômes physiques.

Mort et croissance des cellules cérébrales

Nous avons une meilleure compréhension de la dépression à mesure que nous en savons davantage sur le cerveau.

La tension (le stress) et l'humeur dépressive changent les taux d'hormones et de neurotransmetteurs, mais elles ont aussi un effet subtil sur la structure du cerveau.

Elles agissent temporairement sur le taux de mort et de croissance des cellules nerveuses. Certaines petites parties du cerveau semblent rétrécir durant les épisodes de dépression et on perçoit un changement dans la circulation sanguine. Des études récentes ont démontré que certains antidépresseurs empêchent la mort des cellules nerveuses, mais on n'a pas déterminé dans quelle mesure cela contribue à leur efficacité.

POINTS CLÉS

■ La dépression comporte des symptômes tant physiques que psychologiques.

■ Les symptômes varient d'une personne à une autre.

■ Toute personne ayant des pensées suicidaires risque de passer à l'action et doit obtenir de l'aide sans tarder.

Causes de la dépression

Pourquoi moi, et pourquoi maintenant ?

« Pourquoi moi ? » et « Pourquoi maintenant ? » sont les questions que posent le plus souvent les gens atteints de dépression.

Parfois, la dépression a une cause évidente, par exemple un deuil, la perte d'un emploi ou une maladie physique, mais il arrive souvent qu'elle n'en ait pas. Pour compliquer les choses, la dépression ne touche pas toutes les personnes qui vivent un deuil, qui perdent leur emploi ou qui sont malades. Nous avons tous nos forces et nos faiblesses. Certaines personnes sont plus à risque de souffrir de dépression que d'autres, mais selon les circonstances, cela peut arriver à n'importe qui.

Les chercheurs ont encore beaucoup à faire avant de réussir à comprendre les facteurs qui déclenchent la dépression. La plupart du temps, il y a plus d'une cause. En outre, le fait d'avoir un problème qui nous rend sujets à la dépression ne signifie pas qu'on en sera atteint.

Facteurs qui rendent sujet à la dépression
Facteurs génétiques

Les gènes (le code biologique que vous héritez de vos parents) jouent un rôle important dans la dépression.

Cependant, plusieurs gènes y participent et on ne connaît pas exactement leur fonctionnement. Il y a peu de preuves montrant qu'on hériterait directement la plupart des formes de la dépression. Même si on vous a transmis une tendance, l'apparition ou non de la dépression dépend de ce qui surviendra dans votre vie.

Ainsi, vous ne sombrerez pas nécessairement dans la dépression parce que votre mère, votre père, votre sœur ou votre frère en souffre, mais votre risque sera accru. Ce risque augmente encore si vous avez un vrai jumeau atteint de dépression.

Il est difficile de quantifier ce risque, car l'influence des gènes varie selon les types de dépression. Les gènes jouent un rôle plus important dans la dépression grave que dans la dépression légère, et un rôle plus important chez les jeunes qui en sont atteints que chez les adultes. Ils sont aussi plus importants chez les personnes qui ont des épisodes d'excitation suivis d'épisodes d'humeur morose (trouble bipolaire ou maladie maniacodépressive).

Même s'il y a des cas de dépression dans votre famille, il faut habituellement qu'un événement stressant survienne pour déclencher la maladie chez vous.

Personnalité

Aucun type de personnalité particulier ne prédispose une personne à la dépression. En revanche, les gens obsessifs, dogmatiques et rigides, ceux qui cachent leurs sentiments ainsi que ceux qui deviennent facilement anxieux présentent un plus grand risque.

Les personnes qui connaissent des fluctuations répétées et soutenues de l'humeur ont plus de chances de souffrir d'un trouble bipolaire. Cependant, la grande majorité des gens souffrant de dépression n'affichent aucun de ces types de personnalité.

Milieu familial

Perte d'un parent durant l'enfance

On a démontré que les personnes ayant perdu un parent durant leur enfance ont un risque accru de dépression. Une telle perte peut vous marquer psychologiquement et vous rendre plus vulnérable à la dépression, mais, d'un autre côté, elle peut accroître votre résilience. Il se pourrait que les conséquences psychologiques, sociales et financières liées à la perte du parent jouent un rôle plus important que la perte du parent elle-même.

Style parental

Les psychologues prétendent que les parents critiques et exigeants qui tiennent les succès pour acquis mais réagissent durement à toute forme d'échec produisent des enfants plus sujets à la dépression une fois devenus

adultes. Des psychothérapeutes ont avancé l'hypothèse que les personnes ayant reçu peu d'affection maternelle alors qu'elles étaient jeunes sont à risque de souffrir de dépression plus tard dans la vie, mais il n'existe aucune preuve scientifique.

Sévices sexuels ou physiques durant l'enfance

Il y a des preuves montrant que des sévices sexuels ou physiques subis durant l'enfance peuvent rendre les gens vulnérables à la dépression grave plus tard dans la vie. Des études ont révélé que la moitié des personnes qui consultent un psychiatre ont reçu une forme d'attention sexuelle indésirable durant l'enfance ou l'adolescence.

En général, les victimes de sévices se souviennent des mauvais traitements subis, mais chez certaines personnes, ces souvenirs ne reviennent qu'une fois qu'elles sont dépressives et suivent une psychothérapie. Les spécialistes ne s'entendent pas sur la question à savoir si ces souvenirs sont toujours réels. Certains avancent qu'en de rares occasions, des psychothérapeutes qui croient que le problème de leur patient découle de sévices sexuels peuvent amener ce dernier à se rappeler des choses qui ne se sont jamais produites par la suggestion. Cela porte le nom de syndrome des faux souvenirs.

Sexe

Les femmes ont deux fois plus de chances de recevoir un diagnostic de dépression que les hommes. Cela ne signifie pas pour autant qu'elles sont plus sujettes à la maladie. Il se pourrait qu'elles admettent davantage leur dépression que les hommes ou que les médecins reconnaissent plus facilement la maladie chez les femmes. Toutefois, les femmes sont soumises à des pressions sociales menant à la dépression auxquelles les hommes échappent le plus

Facteurs qui influent sur la dépression

Des facteurs du passé et des difficultés actuelles peuvent jouer un rôle dans le déclenchement de la dépression chez une personne.

Facteurs qui peuvent vous rendre sujet à la dépression

- Gènes
- Personnalité
- Milieu familial
- Sexe
- Modes de pensée
- Manque de contrôle sur son avenir
- Tension (stress) et événements de la vie
- Maladie physique
- Manque de lumière du jour

Facteurs pouvant déclencher la dépression

- Tension (stress)
- Maladie physique
- Médication sous ordonnance
- Manque de lumière du jour

souvent, par exemple rester seule à la maison avec de jeunes enfants. En outre, les fluctuations hormonales qui surviennent au cours du cycle menstruel, durant la grossesse et l'accouchement, puis à la ménopause, peuvent favoriser la déprime chez les femmes ou déclencher un épisode de maladie dépressive. (Pour de plus amples renseignements à ce sujet, reportez-vous à la page 106.)

Modes de pensée

En 1967, le psychiatre américain Aaron Beck a décrit des modes de pensée courants dans la dépression et qui, selon lui, rendaient les gens sujets à la maladie. En bref, il croyait que les personnes qui avaient une perception négative d'elles-mêmes étaient plus vulnérables à la dépression.

La plupart d'entre nous ont un mode de pensée optimiste qui nous permet d'être presque toujours assez joyeux. Nous avons tendance à minimiser nos échecs et à exploiter nos réussites. Par exemple, si vous renversez un verre dans un bar achalandé, vous pourriez dire que le verre était trop rempli ou que quelqu'un vous a poussé; bref, ce n'était pas votre faute. Cependant, si vous traversez la foule sans renverser une goutte, il y a peu de chances que vous disiez que le verre n'était pas assez rempli ou que tout le monde a fait attention de ne pas vous bousculer. Vous pourriez prétendre à un tour d'adresse.

Certaines personnes sujettes à la dépression prennent les choses à l'envers. Elles tendent à minimiser leurs réussites et à s'attarder sur leurs échecs. On a prouvé que les gens pensent ainsi lorsqu'ils sont dépressifs, mais on n'a pas réussi à montrer qu'ils pensaient ainsi avant leur dépression. L'importance de cette théorie tient au fait qu'elle a mené à la thérapie cognitive, l'un des plus excitants nouveaux traitements de la dépression (voir à la page 67).

Manque de contrôle sur son avenir

Des spécialistes estiment que les personnes qui restent longtemps aux prises avec une situation sur laquelle elles n'ont aucune emprise et qui ne peuvent y échapper sont sujettes à la dépression.

Cette idée découle d'expériences menées sur des chiens par un psychologue. Ce dernier a trouvé que les chiens devenaient démoralisés et passifs et qu'ils mangeaient moins lorsqu'ils étaient soumis à des conditions expérimentales où ils recevaient des punitions légères sans raison apparente et, par conséquent, n'avaient aucun moyen de remédier à la situation. Le psychologue a nommé cet état l'incapacité acquise.

D'autres spécialistes croient qu'il est difficile de comparer le comportement des chiens à celui des humains et qu'il est encore plus difficile de savoir si les chiens étaient bel et bien dépressifs. Toutefois, les personnes confinées au lit ou à un fauteuil roulant et requérant les services d'une infirmière pour tout faire présentent des taux élevés de dépression.

Maladies débilitantes de longue durée

L'inconfort, l'invalidité, la dépendance et l'insécurité peuvent augmenter la probabilité qu'une personne souffre de dépression. La plupart d'entre nous préfèrent être autonomes et aiment rencontrer des gens. Être contrainte de vivre dans une relative impuissance peut être l'une des choses qui rendent une personne gravement malade plus sujette à la dépression. Ou encore, il se peut que l'énergie nécessaire pour combattre la dépression soit sapée par la maladie de longue durée. Des préoccupations d'ordre financier peuvent aussi jouer un rôle majeur.

Facteurs pouvant déclencher la dépression
Tension (stress) et événements de la vie

La tension peut mener à la dépression, qu'elle soit soudaine, provoquée par un événement accablant, ou qu'elle s'étale dans le temps. La dépression est six fois plus courante dans les six mois suivant un événement de la vie particulièrement stressant. La tension accroît la vulnérabilité à la dépression ou peut la déclencher.

Les 10 événements de la vie les plus stressants

1 Décès d'un conjoint

2 Divorce

3 Séparation conjugale

4 Peine de prison

5 Décès d'un ami proche

6 Blessure ou maladie

7 Mariage

8 Perte d'un emploi

9 Réconciliation conjugale

10 Retraite

Des événements de la vie comme le décès d'un conjoint ou la perte d'un emploi peuvent vous donner le coup de grâce si vous avez des problèmes de logement, de couple ou de travail depuis un certain temps. Les problèmes à long terme amplifient l'effet des problèmes à court terme.

Les expériences qui déclenchent la dépression consistent habituellement en une perte quelconque : la perte d'un emploi, le décès d'un proche (voir la section « Chagrin et deuil » à la page 129) ou encore un divorce. Toutefois, il convient de mentionner des pertes d'un type plus subtil, par exemple la perte de l'estime de soi dans une relation destructrice.

De telles pertes conduisent à une dépression seulement une fois sur dix, et d'autres événements de la vie non liés à une perte peuvent aussi déclencher la dépression. Chaque personne a sa propre réaction psychologique à la tension (au stress) et il est impossible de prédire nos réactions.

Quelques maladies liées à la dépression

- Abcès cérébral
- Abus d'alcool : agit directement sur le cerveau, en plus de ruiner votre vie
- Acromégalie
- Carences vitaminiques
- Démence
- Diabète
- Encéphalite
- Hémorragie cérébrale
- Hyperparathyroïdisme
- Hypopituitarisme
- Hypothyroïdisme
- Maladie d'Addison
- Maladie de Cushing
- Maladie de Parkinson
- Maladies virales (y compris la grippe et la fièvre glandulaire)
- Problèmes d'équilibre aqueux (comme une déficience sodique, un taux trop élevé ou trop faible de calcium dans l'organisme)
- Sclérose en plaques
- Syndrome de fatigue chronique
- Traumatismes crâniens
- Traumatisme crânien grave
- Troubles cardiaques
- Tuberculose, méningite
- Tumeurs cérébrales

Maladie physique

La maladie physique peut déclencher la dépression. Le choc d'apprendre qu'on a une maladie grave peut entraîner une perte de confiance et d'estime de soi, et donc la dépression. Mais les raisons à l'origine de ce phénomène sont complexes : par exemple, la dépression est courante après une crise cardiaque, peut-être parce que la personne se dit qu'elle l'a échappé belle et qu'elle doit faire face à sa mortalité, ou parce qu'elle est soudainement invalide. La maladie physique est l'une des causes les plus courantes de la dépression chez les personnes âgées.

Certaines maladies conduisent à la dépression en raison de leurs effets sur l'organisme. La dépression peut accompagner la maladie de Parkinson et la sclérose en plaques en partie à cause de l'action de ces maladies sur le cerveau. Les maladies qui influent sur les hormones peuvent causer la dépression.

Il existe aussi un lien avec les maladies virales : une épidémie de grippe est souvent suivie d'une épidémie de dépression, et beaucoup d'entre nous connaissent une personne qui a vécu un épisode dépressif après avoir eu une grippe glandulaire. On ne sait pas comment un virus peut causer la dépression. On a proposé une théorie selon laquelle les virus épuisent les réserves vitaminiques de l'organisme, ce qui l'affaiblit.

Médication sous ordonnance

Certains médicaments sous ordonnance peuvent causer la dépression (voir l'encadré de la page suivante), mais il ne faut pas cesser de les

Quelques médicaments qui peuvent causer la dépression

- Agents de chimiothérapie (certains) pour le traitement du cancer
- Antipaludiques – méfloquine (Lariam)
- Digitaline (cœur)
- Diurétiques (cœur et tension artérielle)
- Interféron alfa pour le traitement de l'hépatite C
- Médicaments contre l'épilepsie
- Médicaments contre l'hypertension artérielle
- Médicaments contre la maladie de Parkinson
- Pilule anticonceptionnelle (pilule combinée et possiblement pilule de progestogène seulement)
- Principaux tranquillisants
- Stéroïdothérapie (pour l'asthme, l'arthrite, etc.)

prendre sans consulter votre médecin au préalable. Ils ne déclenchent pas toujours une dépression. En outre, votre dépression peut avoir une autre cause. Parfois, l'arrêt d'une médication peut être plus dangereux que la dépression elle-même.

Les médicaments en vente libre peuvent aussi causer la dépression. L'alcool agit directement sur le cerveau et peut vous déprimer. L'alcoolisme peut aussi entraîner une dépression à cause des effets négatifs qu'il a sur votre vie. Similairement, les drogues à usage récréatif peuvent avoir une influence en raison de leurs effets directs et des conséquences qu'elles ont sur votre style de vie.

Manque de lumière du jour

La plupart des gens se sentent mieux les jours ensoleillés que les jours nuageux et préfèrent l'été à l'hiver, mais cela prend une forme extrême chez certaines personnes. Ces personnes vont bien durant l'été, mais sont de plus en plus déprimées à mesure que les jours raccourcissent à l'approche de l'hiver. Elles souffrent d'un trouble affectif saisonnier (TAS).

On peut associer le TAS aux taux d'une hormone appelée mélatonine. Cette dernière est libérée par la glande pinéale située dans le cerveau. Sa libération est liée à la lumière; l'organisme en libère davantage lorsqu'il fait noir. La luminothérapie peut s'avérer très efficace pour éliminer les symptômes du TAS. Quatre heures par jour d'exposition à la lumière vive d'une lampe spéciale peuvent faire disparaître la dépression en une semaine.

POINTS CLÉS

- La dépression a beaucoup de causes possibles.

- Certaines maladies physiques et certains médicaments peuvent causer la dépression.

- Habituellement, la dépression a plusieurs causes à la fois chez une personne. Certaines maladies physiques et certains médicaments peuvent causer la dépression.

Types de dépression

Classification des types de dépression

Le médecin, le conseiller ou un professionnel de la santé peuvent utiliser différents termes pour décrire votre état. Certains d'entre eux se recoupent, mais dans cet ouvrage, nous utilisons les termes « dépression légère », « dépression modérée » et « dépression grave », lesquels ont des définitions distinctes.

Dépression légère

Dans le cas de la dépression légère, l'humeur morose peut aller et venir. Ce type de dépression survient souvent après l'expérience d'un événement stressant spécifique. La personne peut se sentir anxieuse en plus de manquer de moral. Quelques changements au mode de vie suffisent souvent à guérir ce type de dépression.

Dépression modérée

Dans la dépression modérée, l'humeur morose persiste et la personne éprouve des symptômes physiques, bien qu'ils varient d'une personne à une autre. Des changements au mode de vie sont peu efficaces à eux seuls dans ce cas et une intervention médicale est nécessaire.

Dépression grave

La dépression grave peut s'avérer être une maladie mortelle provoquant des symptômes intenses. La personne ressent des symptômes physiques. Elle pourrait souffrir de délires et d'hallucinations. Il est impératif de consulter un médecin sans tarder vu le risque de suicide.

Autres termes désignant la dépression

Les professionnels de la santé utilisent couramment d'autres termes pour décrire les types de dépression, y compris les suivants.

Dépression récurrente

Les médecins utilisent ce terme pour des personnes qui ont eu plusieurs épisodes de dépression. Ils continuent d'employer les adjectifs « légère », « modérée » et « grave », en y ajoutant le qualificatif « récurrente ». Par exemple, si vous vous êtes remis d'un épisode de dépression modérée, mais que vous vivez un épisode de dépression légère quelques années plus tard, votre médecin dira que souffrez d'une dépression récurrente, actuellement légère.

Dépression chronique

Les médecins utilisent entre eux le terme « chronique » pour indiquer qu'un trouble perdure depuis longtemps. Cela ne signifie pas que la dépression soit extrême ou grave, mais plutôt qu'elle a duré pendant au moins deux ans.

Dépression résistante au traitement

Ce terme sert habituellement à indiquer qu'on a essayé de traiter un épisode de dépression avec des antidépresseurs sans obtenir le succès escompté.

Dépression réactionnelle

Les médecins donnent deux sens à ce terme. D'abord, le mot « réactionnelle » décrit une dépression déclenchée par un événement stressant, comme une perte d'emploi, et qui est habituellement de courte durée. Il s'agirait en quelque sorte d'une réaction exagérée mais de courte durée à l'adversité. La consultation, le soutien des membres de la famille, la gestion du stress et quelques étapes pratiques peuvent suffire à traiter le problème.

Toutefois, il arrive qu'un événement stressant déclenche une dépression plus grave et les personnes sujettes à la dépression peuvent vivre de tels événements après le début de la maladie. Dans ce cas, il est difficile de déterminer avec certitude si la dépression est bel et bien une réaction au stress.

Le mot « réactionnelle » sert aussi à décrire une dépression durant laquelle la personne touchée peut interagir avec les autres et apprécier les situations sociales.

Dépression endogène (mélancolie)

La dépression endogène (mélancolie) apparaît sans raison. Elle est habituellement intense et la personne qui en souffre peut ressentir des symptômes physiques comme une perte d'appétit ou une perte de poids, un réveil tôt le matin, une humeur morose pire le matin et une perte d'intérêt pour les relations sexuelles. Il est habituellement nécessaire d'avoir recours à un traitement pour s'en remettre.

Le problème avec cette définition de la dépression est que les mêmes symptômes peuvent apparaître chez certaines à la suite d'événements stressants. En outre, le fait qu'on ne puisse pas associer la dépression à un événement stressant particulier ne signifie pas qu'il n'y en ait pas eu un.

Dépression névrotique

La dépression névrotique est une forme légère de la dépression dans laquelle la personne atteinte a de bons et de mauvais jours. La personne tend à se sentir plus déprimée durant la soirée. Avec ce type de dépression, on peut avoir de la difficulté à s'endormir et vivre des nuits coupées sans toutefois se réveiller très tôt le matin. Certaines personnes dorment très longtemps et d'autres se sentent plus irritables qu'à l'habitude. Le mot « névrotique » est parfois associé à des abus; par conséquent, l'expression « dépression névrotique » est peu utilisée de nos jours. Il s'agit en quelque sorte d'un autre nom de la dépression légère.

Dépression psychotique

La dépression psychotique est une maladie grave et les personnes qui en souffrent éprouvent des symptômes physiques en plus de perdre contact avec la réalité. Elles peuvent avoir des délires ou des hallucinations. La dépression psychotique requiert toujours un traitement médical.

Trouble bipolaire

Le trouble bipolaire ou la dépression bipolaire sont les termes utilisés de nos jours pour décrire la psychose maniacodépressive. Les personnes atteintes d'un trouble bipolaire passent d'épisodes prolongés d'excitation à des épisodes prolongés d'humeur morose associée à une dépression de légère à grave.

Dans les épisodes d'excitation (maniaques), les personnes atteintes d'un trouble bipolaire sont enthousiastes, ont moins besoin de dormir ou de manger qu'à l'habitude, et ressentent un grand bien-être. Elles ont de l'énergie à revendre, parlent très rapidement, et les idées défilent à toute vitesse dans leur cerveau. Elles ont souvent un mauvais jugement. Il arrive qu'elles aient des délires et des hallucinations, mais contrairement à ceux qu'ont les personnes dépressives, ces derniers sont positifs. Certaines personnes croient qu'elles connaissent la famille royale d'Angleterre ou qu'elles sont des invitées de marque alors que ce n'est pas le cas; d'autres, qu'elles sont riches ou qu'elles ont des pouvoirs spéciaux. Cet état d'excitation peut être tout aussi malsain que l'humeur morose. Parfois, le manque de jugement et les délires peuvent entraîner des problèmes financiers à cause d'un achat d'impulsion, par exemple un yacht ou une résidence très onéreuse.

Dépression unipolaire

La dépression unipolaire est le type de dépression vécu par la grande majorité des gens. Le terme indique qu'ils souffrent uniquement d'humeur morose, sans les états d'excitation.

Dépression agitante

Ce nom décrit les symptômes caractéristiques de ce type de dépression dans laquelle la personne est anxieuse, inquiète et agitée.

Dépression à retardement

L'expression « à retardement » décrit bien les symptômes associés à ce type de dépression dans laquelle les processus mentaux et physiques sont ralentis et où le patient a de la difficulté à se concentrer. Dans les cas très graves, les personnes n'arrivent plus à bouger, à parler ou à manger, et il y a un risque qu'elles meurent de faim.

Dysthymie

Ce terme désigne une dépression légère mais persistante. Bien qu'elle puisse aller et venir, les médecins posent ce diagnostic si la maladie a duré plus de deux mois en deux ans. Les symptômes principaux sont l'indécision et une faible estime de soi. La psychothérapie donne de meilleurs résultats qu'un traitement médicamenteux.

Dépression masquée

Les personnes atteintes de dépression masquée affirment ne pas se sentir déprimées bien qu'elles éprouvent un certain nombre de symptômes caractéristiques de la dépression. On peut chercher à diagnostiquer une maladie physique avant de poser ce diagnostic. Des symptômes comme des douleurs à la poitrine ou des troubles du sommeil s'améliorent avec la prise d'antidépresseurs.

Dépression organique

Ce nom est donné à un type de dépression causé par une maladie physique ou des médicaments.

Dépression récurrente de courte durée

On a reconnu récemment cette maladie dans laquelle une dépression grave se manifeste, puis disparaît, et ce, quelques jours à la fois.

Trouble affectif saisonnier (TAS)

Ce terme a d'abord été utilisé pour désigner toute maladie dépressive qui se manifestait toujours à une certaine période de l'année – disons en raison d'une augmentation de la tâche au travail. Il désigne de nos jours un type spécifique de dépression qui pourrait découler de la diminution du temps d'ensoleillement à l'approche de l'hiver, alors que les jours raccourcissent. Les personnes atteintes de TAS ont souvent un besoin maladif de glucides ou de chocolat, et doivent dormir davantage.

POINTS CLÉS

- Il existe plusieurs types de dépression.

- La dépression légère ne requiert pas nécessairement de traitement médicamenteux, mais les dépressions modérées et graves en exigent souvent un.

- La dépression peut être constante, ou encore aller et venir.

- La dépression peut être associée à des symptômes non liés à l'humeur.

Auto-assistance et entraide

Travailler de concert avec le médecin

Beaucoup de personnes souffrant de dépression légère améliorent leur état au moyen de techniques d'auto-assistance seulement. Votre omnipraticien ou Internet sont de bonnes sources de renseignements sur les programmes d'auto-assistance existants.

Même si vous décidez de recourir uniquement à l'auto-assistance, cela vaut encore la peine de consulter votre médecin, et ce, pour un certain nombre de raisons. Par exemple, votre dépression pourrait être causée par une maladie physique. En outre, si un omnipraticien a évalué votre état, il pourra le faire de nouveau plus tard et vous donner un avis indépendant sur les progrès que vous aurez réalisés avec l'auto-assistance.

Les gens qui souffrent de dépressions plus graves peuvent aussi tirer profit des techniques d'auto-assistance et d'entraide, mais ils devraient les intégrer à un programme thérapeutique élaboré avec leur médecin ou leur thérapeute. Les techniques d'auto-assistance peuvent aider à écarter la dépression de même qu'à la traiter et à favoriser la guérison. N'essayez pas de tout faire en une

seule étape; considérez plutôt les suggestions qui pourraient changer les choses et mettez-les en pratique. Vous
vous sentirez mieux.

Se préparer aux difficultés

La dépression survient souvent à la suite d'une perte
quelconque, mais il est parfois possible de s'y préparer si
on sait qu'on devra faire face à un changement. Parmi les
choses dont on sait qu'elles pourraient déclencher une
dépression figurent la perte de son réseau social pour la
personne qui part pour étudier à l'université, la perte de
sa liberté ou de son titre de travailleuse lorsqu'une femme
est en congé de maternité, ainsi que le changement à sa
routine ou la perte de ses contacts sociaux pour la
personne qui prend sa retraite. Il n'est pas étonnant que
les taux de dépression soient plus élevés à ces occasions.

Il y a deux façons de réduire la tension (le stress) liée aux
pertes prévisibles :

1. faire preuve d'ouverture et reconnaître qu'il puisse y
   avoir un problème;

2. se préparer au changement.

Vous vous sentirez mieux si vous acceptez vos sentiments. Si les changements dans votre vie vous préoccupent,
parlez-en à un ami. Quand les gens sont au courant de vos
inquiétudes, ils sont davantage en mesure de vous aider. Le
fait que vous exprimiez vos émotions peut les amener à
changer leur attitude envers vous : par exemple, si vous
partez à la retraite, ils pourraient cesser de vous dire que
vous devriez être heureux de ne plus travailler, passer plus
de temps avec vous ou avoir moins d'attentes envers vous
pendant que vous vous ajustez à votre nouvelle vie.

Une bonne préparation à tout changement est toujours
utile. Vous pouvez lire sur le sujet ou en parler avec des

gens qui ont vécu une expérience semblable. Prendre des mesures sensées afin de diminuer la tension (le stress) et essayer de planifier vos premières journées ou vos premières semaines pourrait faciliter la transition.

Par exemple, si vous partez de la maison pour aller étudier, vous pouvez vérifier si des personnes que vous connaissez quittent elles aussi leur foyer, et les rencontrer ou encore vous exercer à cuisiner quelques plats simples avant votre départ. Cela vous fera une inquiétude de moins. Il est possible de planifier les premières semaines de la retraite afin de vous assurer l'aide de votre réseau social et d'avoir des activités. Beaucoup de femmes se joignent à des groupes de soutien qui se révèlent précieux après la naissance de leur bébé.

Prendre une pause

Si vous n'avez pas le moral ou vous sentez dépassé, prenez une pause, même si ce n'est que pour une journée ou une soirée. Mieux encore, prenez de vraies vacances. Il ne s'agit pas d'une fuite et cela ne vous mettra que légèrement en retard dans vos tâches.

Vous découvrirez probablement qu'il est plus facile de réfléchir à vos problèmes lorsque vous prenez du recul et que vous fonctionnerez mieux à votre retour. Une pause peut vous redonner l'énergie nécessaire pour affronter vos problèmes et générer la distance requise pour les mettre en perspective. Si vous n'arrivez pas à jouir de quelques jours de congé, c'est un signe que vous avez besoin d'aide professionnelle.

Discuter

Vous vous apercevrez que cela peut faire du bien de parler de vos problèmes avec votre conjoint, un ami ou un membre de la famille. Non seulement cela allège-t-il votre fardeau, mais cela peut vous aider à trouver une solution.

Vous pourriez découvrir que vos amis ont leur petite idée de ce que vous devriez faire et qu'ils pourraient vous proposer des solutions auxquelles vous n'avez pas songé. Il se peut qu'ils aient vécu le même type de difficultés et qu'ils soient par conséquent en mesure de vous aider à comprendre vos problèmes.

Les gens se sentent souvent mieux après une bonne crise de larmes. La reconnaissance honnête de ses problèmes est souvent un premier pas vers leur résolution.

Beaucoup de gens aux prises avec la dépression se retirent et s'imaginent être un fardeau pour les autres. En fait, cela ne fait qu'accentuer leur dépression. Il vaut mieux trouver un ami prêt à compatir à vos problèmes, qui vous écoutera et qui vous aidera à traverser cette période difficile. Tout le monde a besoin d'aide à un moment donné.

Changement du mode de vie

Réfléchissez aux aspects de votre vie qui ont pu contribuer à votre dépression et voyez comment vous pouvez les changer.

Vous aurez besoin d'aide pour y arriver, mais ce n'est pas aussi difficile à réaliser que ça en a l'air. En général, d'autres personnes ont déjà eu le même problème et vous pouvez, vous aussi, trouver une façon de le résoudre. Si vous craignez d'être malade, parlez-en à votre médecin; la situation n'est peut-être pas aussi mauvaise que vous le pensez. Si votre problème est plutôt d'ordre social ou légal, tournez-vous vers une agence spécialisée en la matière.

Se joindre à un groupe

Il y a beaucoup de façons dont les autres peuvent vous aider et, à cet égard, votre participation à un groupe peut vous apporter un réel soutien. Vous en trouverez une liste dans la section « Ressources utiles ». Votre omnipraticien peut probablement vous donner de l'information sur les services offerts dans votre région. Si votre situation est urgente et que vous ne voulez pas consulter votre omnipraticien, appelez une ligne secours. Certains organismes offrent des consultations par téléphone ou en personne. Il existe aussi un bon nombre d'organisations qui fournissent des services spécialisés, par exemple pour les gens aux prises avec un deuil ou avec des problèmes de couple.

Faire de l'exercice

L'exercice est une autre bonne façon d'accroître votre bien-être. En plus d'améliorer vos dispositions psychologiques, il vous fait sortir de la maison et vous garde en forme. Nul besoin de vous revêtir de lycra et de fréquenter les cours d'aérobic. Une bonne marche rapide ou quelques longueurs de piscine conviennent tout à fait. Des passe-temps qui font bouger comme les quilles vous font sortir et vous occupent. Si vous n'avez pas fait d'exercice depuis longtemps, faites attention et commencez lentement.

Il peut être difficile de se motiver à faire de l'exercice lorsqu'on n'a pas le moral. Vous inscrire à un programme d'exercice structuré et surveillé est souvent la meilleure façon de vous assurer que vous bougez suffisamment, mais pas trop, et surtout que vous persistiez. Votre clinique peut vous donner des conseils à ce sujet.

Manger pour être heureux ?

L'importance d'une alimentation équilibrée

Le régime alimentaire est un facteur important qui permet d'éloigner la dépression. Bien que manger ne rende pas heureux, il est important de bien vous alimenter durant un épisode de dépression puis d'adopter un régime équilibré comblant tous vos besoins en vitamines pour préserver votre bien-être lorsque vous irez mieux.

Si vous souffrez de dépression, il serait bon d'éliminer la caféine parce qu'elle peut générer de l'anxiété. De plus, il convient d'éviter les glucides qui, consommés en grande quantité, peuvent provoquer des sautes d'humeur.

Ce que vous mangez peut s'avérer plus important pour écarter la dépression que son traitement lorsque l'humeur morose s'est déjà installée.

Aliments qui peuvent améliorer l'humeur

Le sélénium (huîtres, champignons, noix du Brésil), le zinc (crustacés, fruits de mer, œufs) et le chrome (légumes verts, volaille – surtout la dinde –, suppléments vitaminiques vendus dans les magasins d'aliments naturels) peuvent améliorer l'humeur, mais il ne faut pas les consommer en grande quantité.

Certains scientifiques affirment que le poisson peut soulager la dépression. Ils s'appuient sur des études ayant montré que les huiles de poisson contiennent des antidépresseurs et ont des propriétés stabilisatrices de l'humeur. Malheureusement, il faudrait manger une quantité impressionnante de poisson pour ingérer suffisamment d'huile et sentir une différence. Par conséquent, certaines sociétés ont commencé à produire des capsules d'huile de poisson concentrée.

Manger pour être heureux ? (suite)

Mis à part de faibles malaises gastriques, on n'a pas noté d'effet indésirable. Il faut noter que leurs effets sur l'humeur n'ont pas été démontrés à ce jour.

Un régime équilibré riche en aliments qui peuvent améliorer l'humeur et faible en glucides, en caféine et en alcool est en général bénéfique, qu'il vise ou non à traiter un épisode de dépression.

Pour améliorer votre humeur, essayez de faire trois séances d'exercice de trois quarts d'heure par semaine. Toutefois, le simple fait de sortir peut vous faire du bien.

Prendre soin de vous
Activités

Il est bénéfique de rester occupé quand on se sent déprimé. C'est une bonne idée d'entreprendre une nouvelle activité en suivant un cours le soir ou la fin de semaine. Cela vous fera du bien de sortir de la maison et de rencontrer des gens, parce que vous brisez ainsi le cercle vicieux de la solitude et du temps passé à ruminer vos problèmes.

Faites un effort conscient pour vaquer à vos activités préférées : écouter de la musique, faire des courses, recevoir un massage, assister à un concert ou aller au cinéma. Les petites choses peuvent faire une grande différence.

Aliments et nutrition

Même si vous avez peu d'appétit, assurez-vous de manger régulièrement, et si vous ne pouvez absorber un gros repas, optez pour des collations nutritives. Si vous ne vous alimentez pas bien, vous n'aurez pas la force physique nécessaire pour vous remettre et vous tomberez dans le cercle vicieux de la dépression. S'il vous est impossible de bien manger ou de préparer un repas, tournez-vous vers des préparations solubles offertes en vente libre en pharmacie. Ces substituts de repas vous procurent les nutriments essentiels d'une journée et sont faciles à préparer.

Alcool

Rappelez-vous que l'alcool ne réglera pas vos problèmes. Vous vous sentirez encore plus déprimé et vous pourriez y développer une accoutumance qui ruinerait votre vie. L'alcool fait disparaître les inhibitions et peut mener à des pulsions suicidaires. Il est aussi imprudent de boire de l'alcool si vous prenez des antidépresseurs.

L'alcool ne réglera pas vos problèmes.

Sommeil

Les troubles du sommeil sont courants et les personnes dépressives sont particulièrement sujettes à l'insomnie. Le manque de sommeil rend difficile de trouver l'énergie nécessaire pour lutter contre la dépression.

L'entraide et l'auto-assistance peuvent s'avérer insuffisantes dans les cas de dépression modérée ou grave. Vous aurez peut-être besoin de médicaments pour échapper à l'insomnie.

Gestion du stress
Relaxation

Apprendre à relaxer est plus facile à dire qu'à faire. Nous avons tous besoin d'aide pour y arriver, mais il y a beaucoup de façons d'éliminer la tension et il y en a une qui vous conviendra. Les techniques de relaxation ont un point en commun : elles vous apprennent à reconnaître les moments où vous êtes tendu et à soulager votre tension. Cela s'apprend dans un groupe de relaxation, avec des cassettes ou des DVD ou encore par la lecture de guides. Il y a peut-être un groupe de relaxation ou un spécialiste rattaché à votre clinique. Il s'agit souvent d'un bon point de départ et, après quelques séances, vous devriez être en mesure de faire les techniques seul.

Il existe des techniques de relaxation plus avancées comme la méditation et d'autres méthodes au nom compliqué.

Rétroaction biologique

Cette technique utilise une machine qui surveille soit les réactions musculaires, soit l'activité électrique de la peau. Lorsque vous êtes tendu, l'activité électrique dans la peau et les muscles augmente, et la machine émet alors un signal, par un sifflement aigu ou un voyant lumineux.

Une bonne nuit de sommeil

Des épisodes prolongés d'insomnie peuvent être très stressants et rendre la dépression plus difficile à supporter. Voici quelques astuces utiles qui vous aideront à mieux dormir.

- Levez-vous plus tôt le matin et vérifiez si cela vous aide.
- Faites de l'exercice durant la journée.
- Ne faites pas de siestes.
- Ne faites pas d'exercice juste avant de vous mettre au lit, car vous aurez de la difficulté à vous endormir.
- Manger un repas copieux avant d'aller au lit peut causer de l'inconfort, mais ne vous couchez pas alors que vous avez faim.
- Ne buvez pas de café, de thé ou de cola durant la soirée.
- Buvez une boisson à base de lait chaud juste avant d'aller au lit.
- Oubliez vos problèmes en lisant un livre avant d'essayer de dormir.
- Couchez-vous à la même heure tous les soirs afin d'habituer votre corps à une routine.
- Ne prenez pas d'alcool; cela ne fonctionne pas toujours et vous pouvez développer une accoutumance.
- Assurez-vous que votre lit est confortable.
- Assurez-vous que votre chambre n'est ni trop chaude ni trop froide.
- Ne fumez pas avant de vous coucher, car la nicotine est un stimulant et il y a un risque d'incendie.
- Les rapports sexuels avant de dormir peuvent vous aider à vous détendre.
- Faites des exercices de relaxation avant de vous coucher.
- Un rappel : si vous ne vous endormez pas en moins de 30 minutes, ou que vous vous réveillez la nuit sans arriver à vous rendormir, levez-vous et lisez un livre ou regardez la télévision. Rester dans votre lit à vous morfondre ne vous fera aucun bien. Cela pourrait même empirer les choses !

Un exercice de relaxation

Voici une méthode de relaxation simple. Elle ne prend que
20 minutes au maximum. Vous pouvez faire cet exercice dans
votre lit, étendu sur le sol ou assis sur une chaise confortable.
Assurez-vous de choisir une chaise qui soutient bien votre cou.
Il est préférable de le faire le soir la première fois, car certaines
personnes se relaxent au point de s'endormir. Une fois que
vous le maîtriserez, vous pourrez faire cet exercice n'importe
où sans risque de vous endormir… à moins de le souhaiter.

1. Laissez votre corps entier devenir mou. Soyez
   le plus pesant possible
   sur la chaise ou le lit.
   Essayez de vous sentir
   aussi lourd qu'un sac
   de pommes de terre.

2. Laissez aller vos bras le long de votre corps. De même,
   laissez aller vos jambes. Laissez vos épaules tomber. Relaxez
   toutes les parties de votre corps, de la tête aux pieds.
   Ressentez votre poids sur la chaise ou le lit.

3. Si vous n'avez jamais fait d'exercices de relaxation auparavant, vous devrez apprendre à détendre vos muscles.
   Contractez le muscle de votre cuisse de plus en plus, jusqu'à
   son maximum. Ensuite, relâchez-le. Vous pouvez sentir
   la différence entre la tension et la relaxation. Faites la même
   chose, du haut de votre corps jusqu'à vos orteils.

Commencez par votre visage – contractez-le, serrez les mâchoires, puis relâchez-les. Contractez les muscles de votre cou, puis relâchez-les. Élevez vos épaules le plus près possible de vos oreilles, puis laissez-les retomber. Contractez et relâchez tous les muscles de vos bras, de votre poitrine, de votre ventre, de vos fesses, de vos jambes, de vos pieds et de vos orteils, un à la fois.

4. Vous devriez constater que vos muscles sont moins tendus qu'au début de l'exercice. Essayez d'inscrire dans votre mémoire la sensation qu'ils vous donnent maintenant. Une fois que serez habitué et que vous aurez en mémoire cette sensation de muscles détendus, vous n'aurez plus à les contracter avant de les relâcher.

5. Lorsque vous êtes détendu et mou, ralentissez votre respiration peu à peu. Respirez lentement et régulièrement. Concentrez-vous sur votre respiration et sur rien d'autre. Les inspirations et les expirations doivent avoir la même durée, être profondes et lentes. Toutefois, arrêtez si vous vous sentez étourdi.

Après 20 minutes à pratiquer cet exercice, vous vous sentirez mieux et moins tendu qu'auparavant.

À mesure que vous vous relaxez, la fréquence du son diminue et le voyant lumineux s'éteint. Vous apprenez ainsi à détendre vos muscles.

Entraînement autogène

Il s'agit d'une série d'exercices mentaux dans lesquels le patient est incité à entrer dans un état de concentration passive – c'est une forme de méditation qui permet de réduire la tension et qui détend.

En principe, il faut avoir recours à un professionnel pour exécuter ces exercices, et bon nombre des techniques utilisées dans l'entraînement autogène ne sont pas plus efficaces que les exercices de relaxation.

Massage

Un ami, un professionnel ou vous-même pouvez vous donner un massage, mais il est habituellement préférable d'avoir recours à quelqu'un. Vous pouvez en profiter pour discuter de vos problèmes. Certains types de techniques spécialisées, comme le shiatsu, la réflexologie et l'aromathérapie, sont efficaces contre le stress. Des types de massage spéciaux sont très efficaces contre le stress.

Shiatsu

Le shiatsu est une technique de massage japonaise fondée sur une théorie médicale traditionnelle chinoise. Le qi, ou souffle vital, circulerait dans le corps le long de certains canaux, ou méridiens. Une maladie se manifeste lorsque le qi est bloqué ou déséquilibré. Le shiatsu consiste à masser certains points précis du corps afin d'éliminer le blocage ou de rééquilibrer le qi.

Réflexologie

Voici un autre massage ancien. Selon les réflexologues, différentes parties du pied sont reliées aux systèmes corporels. La manipulation et le massage de ces parties seraient en mesure de corriger tout problème qui toucherait un système particulier de l'organisme.

Aromathérapie

L'aromathérapie consiste à utiliser des huiles essentielles pour favoriser le bien-être psychologique.

Zoothérapie

Certaines personnes sujettes à des dépressions récurrentes découvrent que cela leur fait du bien d'avoir un chat ou un chien. Ces animaux sont affectueux, fiables et réceptifs, et ils peuvent faire baisser la tension (stress). En revanche, vous n'irez pas nécessairement mieux si on vous offre un animal familier alors que vous êtes dépressif. Outre le fait qu'un animal exige beaucoup de temps et d'efforts, il faut du temps pour établir une relation avec lui.

Médecine complémentaire

Homéopathie

Cette forme de médecine est fondée sur la « loi de similitude » et sur l'idée que l'administration de quantités infinitésimales de substances peut promouvoir la guérison. Par exemple, bien que les orties piquent, l'essence d'ortie pourrait servir à soigner une éruption cutanée. L'essence d'ortie est diluée au point où il y en a une très faible quantité dans la lotion que vous devez appliquer. On pense malgré tout que l'essence d'ortie modifie l'eau contenue dans la lotion de façon à affecter le système immunitaire. Cela vaut la peine de demander l'avis de votre médecin avant de consulter un homéopathe. Certains médecins sont aussi homéopathes.

Par ailleurs, votre médecin pourrait être en mesure de vous rediriger vers un homéopathe ayant une bonne réputation.

Acupuncture

L'acupuncture repose sur les mêmes principes du qi que le shiatsu. Toutefois, on utilise des aiguilles jetables plutôt que des massages pour défaire les blocages ou résoudre les problèmes de circulation du qi. L'acupuncture est de plus en plus répandue. De nombreux médecins spécialisés en médecine traditionnelle occidentale sont aussi formés en acupuncture. Son utilisation pour le traitement de la dépression donne toujours lieu à des débats.

Plantes médicinales chinoises

Les herboristes chinois traitent des problèmes courants comme la dépression depuis des siècles. L'efficacité de ces remèdes n'a pas été vérifiée. Si vous décidez de consulter un herboriste ou de prendre des plantes médicinales chinoises, avisez-en votre omnipraticien ou votre psychiatre. Certaines plantes médicinales interagissent avec d'autres médications que votre médecin pourrait vous prescrire. On a aussi rapporté des lésions hépatiques et d'autres effets indésirables chez des personnes qui en font l'utilisation.

Hypnose

L'hypnose peut favoriser la relaxation, mais elle ne constitue pas un traitement de la dépression. Avec l'hypnose, la personne entre en transe; elle n'est pas endormie et l'hypnotiseur essaie de l'aider à manipuler son subconscient. Certains types d'hypnose ont servi à éliminer l'anxiété chez certaines personnes, mais il y a peu de données probantes qui montrent leur efficacité contre la dépression.

POINTS CLÉS

■ L'auto-assistance et l'entraide peuvent faire partie intégrante d'un programme thérapeutique élaboré avec votre omnipraticien.

■ N'essayez pas de tout changer d'un seul coup.

■ Une fois que vous allez mieux, les techniques d'auto-assistance et d'entraide peuvent maintenir la dépression en échec.

Traitements

Parler à votre médecin

Il convient de voir votre omnipraticien si l'auto-assistance et l'entraide n'ont pas donné de résultat ou si la dépression est grave dès le départ. Appelez une ligne d'écoute téléphonique ou, si vous êtes désespéré et suicidaire, rendez-vous au service des urgences de votre hôpital, qui devrait pouvoir vous aider. Les omnipraticiens connaissent bien la dépression :

- ils sont renseignés sur la maladie;

- ils vous écoutent;

- ils vous connaissent peut-être déjà, ainsi que vos anté-cédents médicaux;

- ils peuvent écarter tout problème physique qui pourrait causer la dépression;

- ils peuvent procéder à des analyses ou commencer un traitement;

- ils peuvent vous offrir du soutien;

- ils peuvent délivrer un congé de maladie au besoin;

- ils peuvent vous rediriger vers un spécialiste;

- ils sont au courant des autres formes de thérapies offertes dans votre région.

Votre omnipraticien devrait être votre première ressource en cas de besoin; toutefois, pour toute urgence, souvenez-vous que vous pouvez appeler une ligne secours ou vous rendre aux urgences. Là, un médecin vous évaluera et fera venir un psychiatre si nécessaire. Dans certaines régions, les hôpitaux ont des cliniques psychiatriques d'urgence où il suffit de vous présenter; dans d'autres régions, il y a des équipes d'intervention en situation de crise qui vous rendront visite à la maison.

Chacun de ces services a l'habitude de s'occuper de personnes dépressives et offre un traitement de grande qualité. Personne ne considérera votre problème comme banal ou absurde. Ils sont là pour vous aider.

Types de traitements

Il y a trois types de traitements de la dépression :

1   les psychothérapies;

2   les traitements médicamenteux (voir à la page 72);

3   les traitements physiques (voir à la page 97);

Vous pouvez obtenir les deux premiers types de traitements par l'intermédiaire de votre omnipraticien; seule la dernière catégorie est dispensée par des spécialistes et réservée aux cas de dépression très grave. Nous verrons les traitements psychologiques, alors que les traitements médicamenteux et les traitements physiques feront l'objet des deux prochains chapitres.

Psychothérapies – thérapies verbales

Les psychothérapies sont le type de traitement le plus populaire contre la dépression d'une part, parce qu'elles ne demandent pas de prendre une médication et, d'autre part, parce qu'elles ont du sens. En effet, il paraît logique

de s'asseoir et de discuter des choses lorsqu'on en perd le contrôle. Cela semble aussi être une bonne idée de fouiller pour découvrir d'où viennent les émotions qu'on ressent quand la dépression se manifeste sans raison apparente.

Toutefois, il se peut que vous soyez trop dépressif pour réfléchir clairement et trop fatigué pour amorcer une psychothérapie. Les psychothérapies prennent du temps et exigent un engagement total. Elles ne sont pas une option facile. Elles demandent beaucoup d'énergie. Dans le cas d'une dépression grave, il faudra peut-être soulager votre dépression à l'aide d'antidépresseurs avant de procéder à une psychothérapie. Voyez votre médecin pour connaître les possibilités dans votre région.

Il existe de nombreux types de psychothérapies qui reposent sur des théories diverses. On les répartit comme suit :

- les psychothérapies à court terme qui durent au plus six mois;

- les psychothérapies à long terme qui durent plus longtemps;

- la consultation.

Les psychothérapies à court terme comportent en général de 4 à 20 séances, chacune d'elles durant environ une heure. Les psychothérapies à long terme consistent en 50 séances ou plus; elles sont habituellement hebdomadaires, mais peuvent aussi avoir lieu cinq jours par semaine. Les psychothérapies à court terme traitent habituellement des problèmes connus et actuels, tandis que leurs équivalents à long terme creusent dans le passé afin de découvrir ce qui a fait de vous ce que vous êtes.

La durée de la consultation varie, avec un nombre indéterminé de séances. Son but n'est pas d'éliminer des

Traitement des divers types de dépression

Votre omnipraticien ou un spécialiste vous recommandera un type de traitement correspondant au degré de gravité de votre dépression.

Dépression légère

L'auto-assistance et l'entraide, les changements du mode de vie et la psychothérapie sont souvent efficaces. On n'a recours à la médication que si les techniques d'auto-assistance, l'exercice et certaines formes de psychothérapies ne donnent aucun résultat. Les médicaments sont peu efficaces dans la dépression légère, et les effets indésirables peuvent surpasser les bienfaits. En revanche, si vous avez déjà eu une dépression modérée ou grave que vous avez soignée à l'aide d'une médication, on pourrait vous proposer des antidépresseurs; ils pourraient être efficaces et aussi empêcher les choses d'empirer.

Dépression modérée

La médication ou certaines formes de psychothérapies peuvent s'avérer efficaces selon les symptômes. Certains médecins croient qu'il est nécessaire de combiner les deux. Les antidépresseurs sont efficaces chez les personnes qui se réveillent tôt le matin, dont la dépression est pire le matin, qui ont perdu l'appétit ou du poids et qui n'ont plus d'intérêt pour des choses qui leur plaisaient auparavant. Toutefois, la thérapie cognitivo-comportementale et la thérapie interpersonnelle donnent de bons résultats dans les cas de dépression modérée. Si ces thérapies sont disponibles et que vous préférez ne pas prendre de médicaments, vous pourriez commencer par l'une d'entre elles. Consultez votre médecin sur une base régulière afin qu'il fasse un suivi de votre état. Vous pourrez considérer la médication si votre état s'aggrave.

Dépression grave

Beaucoup de gens atteints de dépression grave sont trop mal en point pour bénéficier d'une psychothérapie seule et doivent prendre des antidépresseurs. Les personnes ayant des pulsions suicidaires ont besoin d'une aide immédiate et de se trouver dans un milieu sécuritaire. Si la dépression est caractérisée par des délires et des hallucinations, il peut être nécessaire de combiner un antidépresseur à un médicament particulier, un antipsychotique, conçu pour traiter ces éléments.

Dépression récurrente

Si vous avez déjà souffert de dépression, votre médecin pourrait vous recommander le même traitement qu'auparavant, parce qu'il est probable qu'il soit de nouveau efficace. Une fois que vous irez mieux, assurez-vous de discuter d'un traitement à long terme avec votre médecin, par exemple du lithium ou un antidépresseur à faible dose qui pourrait empêcher la dépression de réapparaître.

Trouble bipolaire
ou trouble maniacodépressif

La dépression se traite à l'aide d'antidépresseurs, mais votre médecin devra vous surveiller de près, car chez les personnes ayant de grandes fluctuations de l'humeur, les antidépresseurs tendent à causer de l'excitation. À long terme, il se peut que d'autres médicaments stabilisateurs de l'humeur, comme le lithium, soient plus adéquats.

troubles bien enfouis ou de traiter la dépression, mais elle peut aider à régler certains des problèmes responsables de votre dépression.

Psychothérapies à court terme

Les services de santé publics offrent divers types de psychothérapies à court terme. Votre omnipraticien ou un psychiatre peut vous recommander l'une des thérapies suivantes :

- la thérapie cognitive;

- la thérapie cognitive analytique;

- la thérapie cognitivo-comportementale;

- la thérapie comportementale;

- la thérapie interpersonnelle.

Toutes ces thérapies ont servi au traitement de la dépression.

Le type de thérapie qu'on vous proposera peut dépendre de ce qui est offert dans votre région. Il est important de trouver un bon thérapeute, mais le type de thérapie compte aussi. À l'heure actuelle, beaucoup de spécialistes privilégient la thérapie cognitivo-comportementale et la thérapie interpersonnelle (voir les pages 68 et 69) parmi les psychothérapies à court terme. Des études laissent penser qu'elles sont tout aussi efficaces que les antidépresseurs pour traiter les épisodes de dépression modérée et diminuer les risques de récurrence. Votre thérapeute peut être un médecin, une infirmière, un psychologue, un ergothérapeute ou un travailleur social.

Il y a peu de données disponibles quant à la durée que devrait avoir une psychothérapie à court terme. Cependant, bon nombre d'études qui montrent des effets positifs sur la dépression comportent de 16 à 20 séances réparties sur une période de 6 à 9 mois. Certaines offrent un supplément de 2 à 4 séances réparties sur les 6 à 12 mois suivants.

Thérapie cognitive

La thérapie cognitive s'attarde spécifiquement aux modes de pensée dépressifs. On vous demandera de consigner vos pensées négatives et de réfléchir à votre façon de voir les choses. On vous aidera par la suite à remettre en question les pensées négatives qui n'ont pas de fondement. En 10 à 20 séances hebdomadaires, le thérapeute va vous aider à arrêter de penser à travers le filtre de la dépression. Cette thérapie a donné de bons résultats même dans des cas de dépression modérément grave. Ses bienfaits peuvent s'avérer plus durables que ceux que procure la médication seule. On peut prendre des antidépresseurs en même temps. C'est une option à envisager sérieusement.

Par exemple, Caroline, la secrétaire de l'étude de cas de la page 10, devrait examiner sa croyance selon laquelle elle est incompétente en présentant des arguments pour et contre. On l'aiderait à constater qu'il y a d'autres façons de voir le problème et qu'elle n'a pas raison d'être aussi dure envers elle-même. On l'amènerait à avoir des pensées plus équilibrées. Elle n'est peut-être pas la meilleure secrétaire du monde, mais elle est une bonne secrétaire, et même les bonnes secrétaires commettent des erreurs à l'occasion.

Thérapie comportementale

La thérapie comportementale se distingue de la thérapie cognitive du fait qu'elle se concentre sur ce qu'on fait plutôt que sur ce qu'on pense. Au lieu de vous amener à penser de façon moins dépressive, elle vous fait agir de façon moins dépressive. Un programme de modification du comportement peut avoir pour but de vous aider à mieux dormir, à prendre mieux soin de vous et à mieux vous alimenter. Elle vous empêche d'abandonner. Certaines personnes estiment qu'il s'agit là d'un premier pas vers la guérison.

Dans le cas de Caroline, ces stratégies pourraient servir à éviter que sa dépression s'aggrave. La thérapie l'encouragerait à prendre soin d'elle, à avoir une bonne hygiène de sommeil, à adopter de bonnes habitudes alimentaires et à s'assurer de ne pas sombrer dans une spirale dépressive.

Thérapie cognitivo-comportementale

Cette thérapie combine des éléments des thérapies cognitive et comportementale. Elle représente un traitement puissant contre la dépression légère ou modérée. Des essais ont prouvé qu'elle peut être aussi efficace que les antidépresseurs. On a aussi montré qu'elle aide la personne à aller mieux et à rester bien. On peut l'utiliser seule, mais des études ont révélé qu'une combinaison de thérapie comportementale et d'antidépresseurs donne de meilleurs résultats que l'un ou l'autre traitement employé seul.

Thérapie cognitive analytique

Voici une autre nouvelle thérapie qui a recours à des techniques cognitives et comportementales, mais qui examine aussi votre passé afin de vous aider à saisir d'où vous tenez vos modes de pensée. Elle est l'une des quelques psychothérapies à court terme qui étudient le passé et qui trouvent des explications à vos problèmes.

Si Caroline discutait de son passé, il en ressortirait peut-être que ses parents étaient très critiques. Son sentiment d'infériorité pourrait provenir de la façon dont elle a été diminuée dans son enfance. Si elle réalisait que ses réactions sont les conséquences des circonstances qu'elle a vécues et de son enfance, elle aurait peut-être plus de facilité à s'accepter comme elle est et elle serait moins critique d'elle-même, moins insatisfaite et moins déprimée.

Thérapie interpersonnelle
La thérapie interpersonnelle se penche sur les relations personnelles et sur des problèmes tels que la difficulté à communiquer ou à surmonter un deuil. Certains la considèrent aussi efficace que la thérapie cognitivo-comportementale. Il faut compter de 16 à 20 séances étalées sur 6 mois.

Thérapies assistées par ordinateur
Un certain nombre de thérapies sont maintenant informatisées. Par exemple, il est possible de suivre une thérapie cognitivo-comportementale à l'aide d'un logiciel plutôt qu'avec un thérapeute. Ces programmes sont de plus en plus utilisés, surtout comme partie intégrante d'un plan thérapeutique.

Psychothérapies à long terme
Il existe plusieurs types de psychothérapies à long terme, chacune basée sur une théorie différente. Dans le système public, les listes d'attente sont habituellement longues. Les psychothérapies à long terme essaient de se pencher sur les causes profondes de la dépression. Il ne s'agit pas d'un traitement rapide. Leur objectif premier est de régler des problèmes de longue date et il se peut que cela n'allège pas la dépression dans l'immédiat.

Psychanalyse
Les psychanalystes croient que nos difficultés découlent de problèmes non résolus du passé. On peut les avoir niés, ignorés, voire essayé de les oublier, mais on les a toujours

en nous. Ils restent là, au fond de notre esprit, nous ennuient et se manifestent lorsque nous sommes stressés ou plus faibles. Ils peuvent aussi nous fragiliser. Un exemple de ce type de problème est la perte d'un parent durant l'enfance, alors que le processus normal de deuil ne se fait pas et que les sentiments se retrouvent enfouis.

La psychothérapie à long terme vise à libérer ces sentiments néfastes de notre subconscient. Une fois qu'on les connaît, elle peut aider le patient à les désamorcer afin qu'ils ne causent plus de problèmes.

Si vous envisagez de suivre ce type de thérapie, discutez-en d'abord avec vos amis et votre omnipraticien. Un nombre ahurissant de thérapeutes pratiquent la psychothérapie, dont certains n'ont pas une formation adéquate.

Counseling

Les conseillers essaient de vous aider à résoudre vos problèmes. Ils ne vous donneront pas de conseils, mais ils vous guideront dans vos prises de décisions. Certains conseillers ont reçu une formation, mais pas tous. Il est donc sage de demander à votre omnipraticien de vous rediriger vers un conseiller chevronné. Il y en a peut-être un à votre clinique.

Thérapie de couple

On propose souvent une thérapie de couple aux personnes souffrant de dépression qui ont un partenaire régulier et qui ont vu leur état s'améliorer à la suite d'une psychothérapie à court terme. Il y a bien des sortes de thérapies de couple. Elles aident les conjoints à parler de leurs sentiments et de leurs problèmes, à déterminer s'ils peuvent faire quelque chose, en tant que couple, pour soulager la dépression et à mieux comprendre ce qui se passe. Une thérapie de couple peut durer de 10 à 20 séances réparties sur 6 mois.

POINTS CLÉS

■ Votre omnipraticien devrait être la première personne à consulter en cas de besoin.

■ Certaines thérapies verbales à court terme ont donné de bons résultats contre la dépression.

■ Les psychothérapies à long terme cherchent à régler les problèmes profonds qui sont à l'origine de la dépression. Elles n'allègent pas la dépression dans l'immédiat.

Médication

Qu'est-ce qu'un antidépresseur ?

Les antidépresseurs peuvent être très efficaces contre la dépression. Pris rigoureusement dans la dose adéquate, ils améliorent les symptômes après deux semaines, quoiqu'il faille attendre six semaines ou plus avant de ressentir leur effet maximal. On continue habituellement de les prendre au moins six mois après la fin de la dépression pour éviter une rechute, puis on arrête graduellement.

Beaucoup de médecins prescrivent des antidépresseurs pendant un an à une personne ayant vécu un seul épisode de dépression et pendant au moins deux ans à celles qui en ont eu plus d'un. Certains préconisent une prise d'antidépresseurs plus longue pour les personnes âgées. Ces médicaments fonctionnent le mieux contre la dépression modérée et la dépression grave.

Développerai-je une accoutumance ?

Bien des gens craignent de développer une accoutumance ou une dépendance aux antidépresseurs, mais ils ont tort.

Les antidépresseurs ne fonctionnent pas comme le diazépam et ne créent pas d'accoutumance. Ils agissent chez les personnes dépressives et ne font rien aux autres. Ils ne provoquent pas d'état d'euphorie. La plupart des drogues euphorisantes et causant une accoutumance se vendent sur le marché noir, et il n'y a pas de marché noir des antidépresseurs.

Les antidépresseurs sont néanmoins des médicaments puissants et les personnes qui cessent brusquement de les prendre peuvent se sentir bizarres. Ce n'est pas un signe d'accoutumance ou de dépendance. Les gens qui sont accoutumés à une substance en ont un besoin maladif, et personne n'a un besoin maladif d'antidépresseurs; la sensation vient du fait que l'organisme était habitué de les avoir. Une fois la dépression guérie, une diminution graduelle de la dose en quelques semaines jusqu'à l'arrêt complet permettra à votre corps de s'ajuster sans ressentir de symptômes.

Fonctionnement des antidépresseurs

La dépression vient modifier physiquement le fonctionnement de l'organisme et les antidépresseurs servent à ramener les choses à la normale. Comme nous l'avons vu auparavant (page 17), les cellules nerveuses du cerveau sont séparées par un minuscule espace appelé synapse. Afin de se transmettre des messages, les cellules nerveuses libèrent des substances chimiques (neurotransmetteurs) qui quittent une cellule nerveuse et traversent l'espace jusqu'à la cellule nerveuse suivante, à la façon du témoin dans une course de relais. Le message n'est transmis que s'il y a une quantité suffisante de neurotransmetteurs dans la synapse. Après la libération, les neurotransmetteurs sont éliminés ou réacheminés dans les cellules du cerveau qui les ont libérés.

Pendant une dépression, les taux de ces neurotransmetteurs sont faibles – imaginez qu'on a échappé le témoin dans la course. On croit que les antidépresseurs augmentent la quantité de neurotransmetteurs dans la synapse entre les cellules nerveuses – leur rôle consiste à redonner le témoin à la cellule nerveuse.

Plusieurs médicaments augmentent la quantité de neurotransmetteurs dans la synapse, chacun à sa façon :

- en augmentant la quantité de neurotransmetteurs produite (tryptophane);

- en inhibant la décomposition des neurotransmetteurs (inhibiteurs de la monoamine-oxydase, ou IMAO);

- en empêchant le recaptage des neurotransmetteurs de la synapse par les cellules (tricycliques, ISRS, médicaments semblables aux tricycliques).

Au fil du temps, le corps retrouve son équilibre, la quantité de neurotransmetteurs générée naturellement augmente et les antidépresseurs deviennent inutiles.

Qui a besoin d'antidépresseurs ?

Si vous souffrez d'une dépression légère, vous n'avez sans doute pas besoin de ce traitement. Une dépression modérée peut en demander et ils sont essentiels dans le cas d'une dépression grave.

La prescription de ces médicaments doit faire suite à un examen complet par votre omnipraticien ou un psychiatre et faire partie intégrante d'un programme thérapeutique qui devrait aussi comprendre des techniques d'auto-assistance et d'entraide et une psychothérapie. Il convient de mentionner à votre thérapeute que vous prenez une médication. Si vous hésitez à prendre des antidépresseurs, rappelez-vous que les médecins ne prescrivent pas ces médicaments juste pour se débarrasser de leurs patients. Il peut s'avérer impossible de régler vos problèmes à moins d'en prendre.

Certains symptômes – un réveil très tôt le matin, une dépression plus forte le matin, une perte d'appétit et de poids ainsi qu'une perte d'intérêt pour les activités que vous aimiez auparavant – indiquent que les antidépresseurs pourraient bien fonctionner.

Les antidépresseurs peuvent avoir des effets indésirables, qui sont plus intenses au début du traitement, mais s'atténuent à mesure que l'organisme s'habitue à la médication. On peut minimiser ces effets en commençant avec une dose réduite, puis en l'augmentant, ou encore en changeant de produit. La plupart des effets indésirables sont plus faciles à supporter que la dépression elle-même. Le respect de la posologie garantira une amélioration de votre état. Certains médecins prescrivent une faible dose d'un médicament comme le diazépam à prendre avec l'antidépresseur les deux premières semaines, parce qu'il arrive que les gens soient anxieux lorsqu'ils commencent à prendre des antidépresseurs et que ce type de médicament réduit l'anxiété. Vous ne développerez pas d'accoutumance au diazépam si vous en prenez pendant deux semaines.

Les antidépresseurs donnent de meilleurs résultats lorsqu'on prend la dose complète. Les doses plus faibles ne sont pas aussi efficaces. Vous pourriez alors avoir les effets indésirables sans les bienfaits. Il faut persévérer.

Il y a plusieurs antidépresseurs dans le commerce. Ils sont tous efficaces. Certains conviennent davantage à un type donné de dépression et chaque antidépresseur a ses propres effets indésirables.

Le médecin vous recommandera de continuer de prendre les antidépresseurs pendant six mois après un premier épisode de dépression afin d'éviter une rechute. Si vous

Fonctionnement probable des antidépresseurs

Pendant une dépression, les taux de neurotransmetteurs sont faibles. Les antidépresseurs servent à augmenter ces taux de l'une des trois façons suivantes.

État dépressif (avant un traitement)

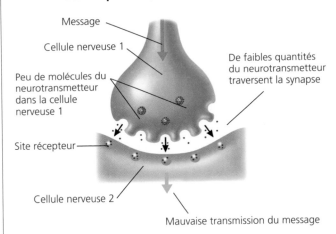

Message

Cellule nerveuse 1

De faibles quantités du neurotransmetteur traversent la synapse

Peu de molécules du neurotransmetteur dans la cellule nerveuse 1

Site récepteur

Cellule nerveuse 2

Mauvaise transmission du message

1. Augmentation de la quantité du neurotransmetteur

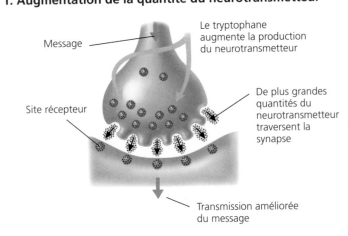

Message

Le tryptophane augmente la production du neurotransmetteur

Site récepteur

De plus grandes quantités du neurotransmetteur traversent la synapse

Transmission améliorée du message

2. Arrêt de la décomposition du neurotransmetteur

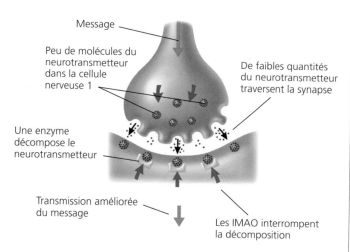

Message

Peu de molécules du neurotransmetteur dans la cellule nerveuse 1

De faibles quantités du neurotransmetteur traversent la synapse

Une enzyme décompose le neurotransmetteur

Transmission améliorée du message

Les IMAO interrompent la décomposition

3. Inhibition du recaptage du neurotransmetteur

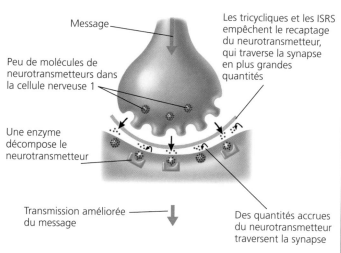

Message

Les tricycliques et les ISRS empêchent le recaptage du neurotransmetteur, qui traverse la synapse en plus grandes quantités

Peu de molécules de neurotransmetteurs dans la cellule nerveuse 1

Une enzyme décompose le neurotransmetteur

Transmission améliorée du message

Des quantités accrues du neurotransmetteur traversent la synapse avez déjà vécu une dépression auparavant, il pourrait vous conseiller de prendre les médicaments plus longtemps. Certains médecins préfèrent prescrire les antidépresseurs indéfiniment aux personnes qui ont un premier épisode de dépression passé 50 ans, car le risque de rechute est élevé.

Types d'antidépresseurs
Tricycliques

Les médecins utilisent de moins en moins ces médicaments comme premier traitement, car la recherche a montré que le risque d'abandon par les patients en raison des effets indésirables est moindre avec les autres types d'antidépresseurs. Une surdose de ces médicaments (mis à part la lofépramine) s'avère aussi plus dangereuse qu'une surdose d'inhibiteurs sélectifs du recaptage de la sérotonine (ISRS).

Ces substances sont dites « tricycliques » en raison de leur structure chimique, soit trois anneaux unis par une chaîne latérale comme dans un tricycle. Elles augmentent la quantité du neurotransmetteur qui circule entre les cellules nerveuses du cerveau en empêchant son recaptage par la cellule qui l'a libéré. Les tricycliques sont très efficaces avec la dépression modérée ou grave qui provoque des troubles de sommeil, une perte d'appétit, de l'agitation ou un retard psychomoteur. Ils peuvent mettre jusqu'à deux semaines avant d'agir.

Il y a de nombreux types de tricycliques. Ils soulagent tous la dépression, mais ils ont aussi d'autres effets. Certains ont un effet sédatif, c'est-à-dire calmant, et d'autres non.

Si vous vous sentez anxieux et agité, votre médecin vous prescrira probablement un antidépresseur sédatif. En revanche, si vous êtes au ralenti et toujours fatigué, il pourra en choisir un qui n'a pas d'effet sédatif. Certaines personnes qui prennent des tricycliques sédatifs ont envie de dormir durant la journée. Le médecin pourrait leur recommander de prendre toute la dose le soir plutôt qu'en trois fois durant la journée afin de réduire la somnolence le jour. Cela peut en même temps les aider à mieux dormir.

Il faut faire preuve d'une grande prudence lorsque vous prenez des antidépresseurs, surtout si votre emploi demande de conduire ou d'utiliser des machines. Discutez-en avec votre médecin.

Les tricycliques sont des médicaments puissants et, de ce fait, ils peuvent provoquer des effets indésirables. Toutefois, les médicaments les plus récents comme la lofépramine en ont relativement peu. Tout le monde n'a pas d'effets secondaires; le cas échéant, avisez-en votre médecin. Pour diminuer ces effets, commencez avec de faibles doses qui augmenteront graduellement ou changez de tricycliques.

Ces antidépresseurs peuvent interagir avec d'autres médicaments, même des produits contre la rhinite allergique en vente libre, alors il est important de consulter votre médecin et votre pharmacien avant de prendre quoi que ce soit d'autre.

Antidépresseurs tricycliques

Tricycliques sédatifs	Tricycliques non sédatifs
• Amitriptyline	• Imipramine
• Clomipramine	• Lofépramine
• Dosulépine	• Nortriptyline
• Doxépine	
• Trimipramine	

Une surdose de tricycliques peut être mortelle. Ne conservez qu'une petite quantité de ces comprimés à domicile si une personne a des pulsions suicidaires.

Médicaments semblables aux tricycliques

Plusieurs médicaments se comportent comme les tricycliques, mais ils n'ont pas la structure à trois anneaux caractéristique et ne peuvent donc pas porter le nom de tricycliques.

- La miansérine a peu d'effets secondaires, mis à part un effet sur la moelle osseuse qui fait en sorte qu'on l'utilise peu souvent.

- Le trazodone a peu d'effets indésirables, quoique dans de rares cas il puisse causer chez les hommes une érection qui persiste. Ce phénomène est très douloureux.

Quelques effets indésirables des tricycliques

- Vision brouillée
- Constipation
- Difficulté à entrer en érection et à éjaculer
- Miction difficile
- Bouche sèche
- Effets sur le cœur (battements plus rapides ou irréguliers)
- Attaques plutôt rares, seulement chez les personnes qui y sont sujettes
- Étourdissements lorsqu'on se met debout
- Transpiration
- Tremblements des mains
- Prise de poids

- La mirtazapine est un antidépresseur efficace qui peut provoquer des troubles sanguins. Les patients qui en prennent doivent consulter leur médecin s'ils font de la fièvre, ont un mal de gorge ou présentent tout signe d'infection. Elle peut aussi augmenter l'appétit et favoriser un gain de poids.

Inhibiteurs sélectifs du recaptage de la sérotonine (ISRS)

Ces médicaments fonctionnent de la même façon que les tricycliques : ils empêchent les neurotransmetteurs de retourner dans les cellules nerveuses qui les ont libérés. Cependant, ils n'agissent que sur un type de neurotransmetteur, la sérotonine.

Les ISRS sont des antidépresseurs efficaces. Au début, on croyait qu'ils avaient moins d'effets indésirables que les tricycliques, mais on sait maintenant que ces effets sont tout simplement différents. Ils causent moins de somnolence, n'entraînent pas de prise de poids et affectent moins le cœur que les tricycliques. Comme pour les tricycliques, il faut les utiliser avec prudence chez les patients souffrant d'épilepsie. Ils peuvent aussi causer des troubles gastriques les premiers temps. D'autres effets incluent la diarrhée, des

Quelques ISRS	
Nom réel (générique)	**Nom commercial**
Fluoxétine	Prozac
Fluvoxamine	Luvox
Paroxétine	Paxil
Sertraline	Zoloft
Citalopram	Celexa

nausées, des vomissements, des maux de tête (céphalées), de l'agitation et de l'anxiété. Ces antidépresseurs sont beaucoup plus sécuritaires que les tricycliques en cas de surdose.

Les ISRS sont plus récents que les tricycliques. La recherche indique que les gens qui les prennent ont moins tendance à les abandonner à cause de leurs effets indésirables que ceux qui prennent des tricycliques. Ainsi, d'autres autorités médicales recommandent les ISRS.

Les médias ont fait grand cas d'un de ces médicaments, le Prozac. Cet ISRS fonctionne à peu près comme les autres, mais il a gagné en popularité après avoir été cité dans certains best-sellers. On l'a surnommé « la pilule du bonheur » parce qu'il a la réputation de rendre plus joyeux les gens atteints de dépression légère. Le Prozac a été prescrit à des personnes souffrant de dépression légère qui auraient sans doute guéri grâce à de simples changements de leur mode de vie. Aux États-Unis, beaucoup de médecins s'inquiètent de la prescription à outrance de ce médicament. D'autres ISRS ont des fonctions similaires et sont aussi efficaces que le Prozac.

Certains scientifiques ont affirmé que les ISRS provoquent des pulsions suicidaires et homicides chez certaines personnes. Ils se préoccupent particulièrement du fait que cela semble se produire plus souvent chez les moins de

Quelques effets indésirables des ISRS

- Troubles gastriques
- Diarrhée
- Nausée
- Vomissements
- Mal de tête (céphalée)
- Agitation
- Anxiété

30 ans. En conséquence, on recommande aux médecins de surveiller de près tout patient prenant ces médicaments. Il faut communiquer immédiatement avec son médecin si on devient plus anxieux ou plus agité. Il faudra mener davantage d'études à ce sujet, mais le meilleur conseil qu'on puisse donner à toute personne qui pense ressentir cet effet indésirable rare est d'en discuter avec son médecin.

Inhibiteurs de la monoamine-oxydase (IMAO)

Les IMAO ont été les tout premiers antidépresseurs. Ils augmentent la quantité de neurotransmetteurs dans la synapse en inhibant leur décomposition à l'aide d'une substance appelée la monoamine-oxydase. Malheureusement, ils agissent également ailleurs dans l'organisme, où la monoamine-oxydase a des fonctions importantes. L'une d'entre elles consiste à fractionner la tyramine qui se trouve dans bon nombre d'aliments. Un excès de tyramine cause de l'hypertension artérielle, des maux de tête violents et lancinants et peut mener à un accident vasculaire cérébral. Par conséquent, toute personne qui prend des IMAO doit respecter rigoureusement un régime alimentaire faible en tyramine et porter sur elle une carte médicale.

L'organisme met deux semaines avant de générer de la nouvelle monoamine-oxydase, donc votre corps aura besoin de deux semaines pour revenir à la normale après

Inhibiteurs de la monoamine-oxydase (IMAO)

IMAO
- Isocarboxazide
- Tranylcypromine
- Phénelzine

IMAO A
- Moclobémide

l'arrêt des IMAO. Cela signifie que vous devrez continuer votre régime alimentaire pendant cette période. Si les IMAO n'ont pas fonctionné, il ne sera pas possible de commencer à prendre un autre antidépresseur pendant ce temps.

Il y a maintenant un nouveau type d'IMAO appelé IMAO A (inhibiteur réversible de la monoamine-oxydase de sous-type A). Il y a deux types de monoamine-oxydase, le type A et le type B. Comme les IMAO A n'inhibent qu'un seul type, ils posent moins de problèmes pour les aliments contenant de la tyramine, et le régime alimentaire imposé est moins strict. Cependant, les gens qui prennent ces médicaments doivent respecter leur régime et risquent d'avoir les mêmes problèmes s'ils consomment trop d'aliments riches en tyramine. Les IMAO A bloquent l'action de la monoamine-oxydase sans la détruire; ainsi, l'organisme n'a pas besoin d'en produire de nouvelle. Les effets sont réversibles et se résorbent une journée après l'interruption de la médication.

On a recours aux IMAO lorsque les tricycliques ou les ISRS ne donnent pas de résultat, quoique certains médecins les prescrivent dès le départ dans le cas d'une dépression avec symptômes physiques inverses (par exemple si la personne mange trop ou dort plus qu'à la normale). Ils peuvent aussi convenir aux gens dont la dépression ne s'inscrit dans aucun des profils connus.

Autres antidépresseurs

L-tryptophane

On pense que cet antidépresseur fonctionne en augmentant la quantité du neurotransmetteur généré par les cellules nerveuses du cerveau. Cette substance chimique provient des aliments et l'organisme la transforme en sérotonine. Il s'agit d'un antidépresseur faible, mais on peut l'utiliser de pair avec d'autres antidépresseurs.

Flupentixol

Ce médicament est utilisé pour soigner d'autres maladies psychiatriques, mais il fait un bon antidépresseur lorsqu'il est prescrit à faibles doses. Il est relativement sécuritaire en cas de surdose et il a très peu d'effets indésirables. Cependant, son utilisation prolongée peut générer des effets plus graves. Il faut donc en prendre durant une courte période.

Venlafaxine

La venlafaxine est un antidépresseur qui fonctionne comme un ISRS. Elle peut causer une irritation cutanée et, le cas échéant, il convient d'en aviser le médecin sans tarder, car cela peut indiquer une réaction allergique grave. Comme plusieurs autres antidépresseurs, elle peut nuire à l'accomplissement de tâches spécialisées comme la conduite d'un véhicule. On tend à ne prescrire ce médicament que lorsque d'autres n'ont pas fonctionné, car il peut s'avérer mortel en cas de surdose. Il est essentiel de faire un suivi régulier de la tension artérielle et du cœur.

Réboxétine

Ce médicament inhibe sélectivement la capture d'un neuro-transmetteur, la noradrénaline. On sait peu de choses sur ses effets indésirables.

Liothyronine

La liothyronine est une hormone servant au traitement d'une glande thyroïde paresseuse. Dans certains centres spécialisés, on peut l'utiliser en plus d'autres traitements afin de traiter la dépression grave.

Duloxétine

La duloxétine est un nouvel antidépresseur qui agit comme un ISRS et qui ressemble à la réboxétine du fait qu'elle

Cesser de prendre des antidépresseurs

Il ne faut pas arrêter de prendre des antidépresseurs sans l'avis d'un professionnel de la santé en raison des symptômes de sevrage qui peuvent survenir.

Conseils généraux

- N'arrêtez pas de prendre vos antidépresseurs brusquement : il faut diminuer graduellement la dose sur un intervalle d'au moins un mois; consultez d'abord votre médecin.

- Certaines personnes qui ont pris des antidépresseurs régulièrement pendant plusieurs semaines et arrêtent brusquement de les prendre ressentent des symptômes de sevrage.

- On peut éviter les symptômes de sevrage en réduisant graduellement la dose d'antidépresseurs pendant au moins quatre semaines.

Symptômes d'interruption

- Étourdissements, sensations de choc électrique, anxiété et agitation, insomnie, symptômes semblables à ceux de la grippe, diarrhée, nausée, douleur abdominale, fourmillement dans les doigts, sautes d'humeur, humeur morose.

Changement d'antidépresseurs

Tout changement d'antidépresseurs doit être prescrit par un médecin. Certains antidépresseurs ne doivent pas être pris ensemble, car leur combinaison pourrait être mortelle. Il faut éliminer complètement un antidépresseur de votre système avant de commencer à en prendre un autre. Cela peut prendre jusqu'à cinq semaines, selon le type que vous interrompez et celui que vous commencez.

inhibe la capture de la noradrénaline (norépinéphrine). Ses fabricants espèrent que son action double sur la dépression la rendra plus efficace.

Millepertuis

L'*Hypericum perforatum* (le millepertuis) est une plante médicinale populaire pour soigner la dépression. Il est offert en vente libre. Beaucoup de ses utilisateurs affirment qu'il s'agit de leur traitement de prédilection, surtout dans les cas de dépression légère.

C'est une plante médicinale très puissante qui peut interagir avec des médicaments destinés à traiter des maladies physiques. Le millepertuis peut, par exemple, nuire à l'action de la pilule anticonceptionnelle, des anticoagulants et des médicaments contre l'épilepsie.

Si vous êtes déprimé, il est important de consulter votre médecin avant de prendre du millepertuis, surtout si vous prenez des médicaments. La quantité d'ingrédients actifs dans les différentes préparations varie, alors il est préférable d'acheter toujours la même marque. Si vous prenez des médicaments sous ordonnance, les diverses marques de millepertuis peuvent leur nuire à différents degrés.

Antidépresseurs et sexualité

Beaucoup de gens, lorsque dépressifs, n'ont plus d'intérêt pour les relations sexuelles. Cela fait partie de la dépression. Toutefois, la difficulté à devenir excité et à éjaculer peut aussi être un effet indésirable de certains antidépresseurs. Mentionnez ces problèmes à votre médecin, le cas échéant. Bien des personnes atteintes de dépression souffrent en silence, mais les omnipraticiens connaissent cet effet indésirable et peuvent l'éliminer en changeant d'antidépresseur.

Stabilisateurs de l'humeur

Ces médicaments sont rarement utilisés pour traiter la dépression. On s'en sert pour prévenir sa récurrence chez les personnes qui y sont sujettes en stabilisant leur humeur.

Lithium

Le lithium rend nos cellules et notre humeur plus stables. Les personnes qui souffrent d'un trouble bipolaire (trouble maniacodépressif) risquent moins de tomber en dépression lorsqu'elles prennent du lithium. Ce produit prévient aussi la dépression chez les gens souffrant de dépression récurrente grave. Il évite les rechutes ou diminue leur durée et leur gravité tout en les espaçant.

Le lithium doit être pris sur une base régulière et doit atteindre un niveau adéquat dans le sang. Si son taux est trop faible, il est inefficace; si son taux est trop élevé, il a des effets indésirables et peut même causer la mort. Seules des analyses sanguines permettent de déterminer la quantité de lithium appropriée pour une personne.

Avant de vous prescrire du lithium, le médecin procédera à des analyses sanguines afin de s'assurer du bon fonctionnement de vos reins et du bon équilibre chimique de votre sang. Il vous fera subir un examen complet ainsi qu'un tracé du rythme cardiaque pour vérifier que tout va bien. Il contrôlera aussi par des tests l'action de votre glande thyroïde. On ne prescrit pas de lithium aux gens qui montrent des signes de maladie rénale ou cardiaque.

Après que vous avez commencé à prendre du lithium, vous devrez subir des analyses sanguines au moins une fois par semaine jusqu'à ce que le médecin ait établi la dose adéquate, puis tous les mois pendant trois mois. Chaque médecin procède différemment par la suite : certains commandent des analyses sanguines tous les deux mois, d'autres le font moins régulièrement.

Toutes les situations où vous pouvez vous retrouver gravement déshydraté peuvent modifier la quantité de lithium dont vous avez besoin, par exemple aller en vacances dans un endroit où il fait très chaud; avoir la diarrhée, vomir ou commencer à prendre un nouveau médicament (comme des comprimés contre la rétention d'eau). Une analyse sanguine devra être complétée sans tarder.

Et si vous devez subir une chirurgie, vous devriez aviser le médecin que vous prenez du lithium, car vous devrez possiblement l'interrompre.

Effets indésirables

Les effets indésirables d'une thérapie au lithium peuvent comprendre de la fatigue, des mictions plus abondantes, un léger tremblement des mains, la bouche sèche et un goût métallique dans la bouche. Plusieurs de ces symptômes disparaissent avec le temps. Il ne faut pas confondre ces effets avec les signes qui indiquent un taux de lithium trop élevé. En cas de tremblement prononcé des mains, d'une sensation de faiblesse, de diarrhée, de vomissements et de confusion, consultez votre médecin ou rendez-vous dans un service des accidents et des urgences sans tarder. Vous pourriez souffrir d'une intoxication au lithium.

Les effets indésirables à long terme incluent une prise de poids, et dans certains cas un effet sur la glande thyroïde. Par conséquent, une partie du sang prélevé pour vérifier le taux de lithium servira à déterminer votre taux d'hormones thyroïdiennes quelques fois par année. Un faible taux de ces hormones peut se traiter en cessant la consommation de lithium ou au moyen de comprimés d'hormones thyroïdiennes.

Le lithium peut affecter votre fonction rénale après un certain temps. Il produit alors des mictions abondantes et une sensation de soif extrême. Le cas échéant, consultez votre médecin. Il se peut que vous deviez cesser de prendre du lithium.

Lithium et grossesse

Le lithium peut nuire au développement du fœtus durant les premiers mois de la grossesse. Toute femme prenant du lithium qui veut devenir enceinte doit consulter son médecin et prendre les mesures nécessaires pour interrompre la médication.

Vous pouvez recommencer à prendre du lithium une fois passé le troisième mois de grossesse, car le placenta protège alors le fœtus et le fœtus y est aussi moins sensible. Il faut toutefois le faire sous la supervision d'un médecin. Le médecin doit surveiller de près le taux de lithium parce que la quantité requise varie au fil de la grossesse. Il y a par conséquent plus d'analyses sanguines à faire.

Après sa naissance, le bébé n'est plus protégé par le placenta. Le lithium peut passer dans le lait maternel et nuire au bébé. Il ne faut donc pas allaiter si on prend du lithium.

Carbamazépine

La carbamazépine est un autre stabilisateur de l'humeur. On peut l'utiliser avec le lithium ou la donner seule aux personnes qui ne peuvent pas prendre de lithium pour une raison ou une autre. Il faut procéder à des analyses sanguines au moins toutes les deux semaines pendant les deux premiers mois, puis moins fréquemment par la suite. Une fièvre peut signaler des troubles sanguins causés par la carbamazépine; assurez-vous donc de consulter votre médecin si cela vous arrive.

Valproate de sodium

Voici un médicament utilisé pour soigner l'épilepsie et qui a des vertus stabilisatrices de l'humeur. Par le passé, on ne l'utilisait que dans les cas où ni le lithium ni la carbamazépine ne pouvaient être administrés, mais il est devenu le traitement préféré de certains spécialistes. Il faut procéder à des analyses sanguines sur une base régulière.

Autres stabilisateurs de l'humeur

Il arrive que les spécialistes fassent appel à des médicaments qui servent à traiter des troubles du cerveau comme l'épilepsie et qui se sont révélés de bons stabilisateurs de l'humeur, comme la lamotrigine, la gabapentine et le topiramate.

On prescrit parfois l'hormone thyroxine à des personnes dont l'humeur fluctue rapidement de l'état excité à l'état déprimé. On n'y a recours que si d'autres médicaments plus courants comme le lithium, le valproate de sodium et la carbamazépine ne donnent pas de résultat.

Autres traitements prescrits contre la dépression
Somnifères

Les troubles du sommeil sont courants dans la dépression. Ils peuvent être causés par la dépression, mais ce n'est pas toujours le cas. Il faut prendre en compte d'autres causes possibles, telles qu'une maladie physique ou même un médicament prescrit pour un problème médical, et régler la situation.

La gestion du stress et d'autres techniques (voir la page 52) peuvent favoriser un bon sommeil. Les troubles du sommeil qui découlent de la dépression disparaissent avec la prise d'antidépresseurs. S'ils sont incommodants, le médecin peut vous prescrire un antidépresseur ayant des propriétés sédatives.

Il n'est pas toujours possible de prescrire un antidépresseur sédatif; dans ce cas, le médecin peut opter pour un antidépresseur et un somnifère. Il ne faut pas prendre les somnifères trop longtemps, pendant deux semaines tout au plus. Certaines personnes ont de la difficulté à cesser de les prendre; elles développent une dépendance et peuvent éprouver des symptômes de sevrage. Même si on les prescrit pour une courte période, il vaut mieux les utiliser par intermittence.

Il y a beaucoup de sortes de somnifères. Des médicaments comme le témazépam et l'oxazépam sont couramment prescrits. Ils appartiennent à la même famille que le diazépam (anciennement connu sous le nom commercial de Valium). Il y a aussi de nouveaux somnifères, tel le zopiclone, mais ils fonctionnent à peu près de la même façon que le diazépam et comportent les mêmes risques d'accoutumance. Certains comprimés contre la rhinite allergique, des antihistaminiques, causent de la somnolence et peuvent servir de somnifères. Les somnifères ne règlent pas les causes sous-jacentes des troubles du sommeil.

Anxiolytiques

Beaucoup de personnes atteintes de dépression souffrent aussi d'anxiété. Il s'agit d'un symptôme de la dépression et, tout comme le sommeil, il s'améliore en même temps que la dépression.

Si l'anxiété est grave, les médecins peuvent prescrire un anxiolytique combiné à un antidépresseur. Bon nombre de médicaments permettent de traiter l'anxiété, par exemple le propranolol, le diazépam et la buspirone. Il est toutefois préférable d'éviter la combinaison d'un antidépresseur et d'un anxiolytique. L'antidépresseur est habituellement efficace seul ou avec une psychothérapie. Un anxiolytique ne doit être prescrit qu'à très court terme seulement dans la dépression.

Il arrive qu'on prescrive un médicament semblable au diazépam pour une ou deux semaines, mais il ne faut pas dépasser cette durée à cause des risques d'accoutumance.

Traitement de la dépression psychotique

Les personnes souffrant de dépression grave peuvent perdre contact avec la réalité et se mettre à avoir des délires et des hallucinations. Dans de tels cas, le médecin peut avoir recours à deux médicaments :

1. un médicament qui agit sur la dépression;

2. un médicament qui agit sur les délires et les hallucinations (un antipsychotique).

Des études ont montré que, dans ces cas, un antidépresseur tricyclique et un antipsychotique ensemble donnent de meilleurs résultats qu'un antidépresseur seul. Les antipsychotiques comme la chlorpromazine, la trifluopérazine et l'halopéridol sont très puissants et peuvent avoir un certain nombre d'effets indésirables. Les antipsychotiques plus récents, dont l'olanzapine et le rispéridone, ont moins d'effets indésirables et sont déjà utilisés par les médecins.

Les antipsychotiques ne sont habituellement prescrits que pour traiter les symptômes de psychose. On réduit ensuite graduellement la dose jusqu'à l'interruption, et la personne ne prend plus que son antidépresseur.

Quel antidépresseur choisir ?

Il y a plus de 30 antidépresseurs dans le commerce. Chaque médecin a sa propre idée quant à celui qui est le meilleur. Ces choix ne sont pas toujours appuyés par la recherche. Des études de qualité montrent que, dans le cas de la dépression légère, les effets indésirables des antidépresseurs excèdent souvent leurs bienfaits. Pour ce qui est de la dépression de modérée à grave, les recommandations actuelles indiquent de prescrire d'abord un ISRS, parce que les gens risquent moins de les abandonner que les tricycliques. Avec la dépression à symptômes inverses, les IMAO semblent plus efficaces.

Le choix d'un antidépresseur dépend souvent d'autres facteurs, par exemple si une médication particulière vous convient ou non, ou encore si un traitement antérieur a donné de bons résultats ou non.

Le médicament vous convient-il ?

Chaque antidépresseur a ses propres effets indésirables et chaque personne réagit différemment à ces effets. Si vous ne tolérez pas les effets indésirables d'un antidépresseur donné, il peut être préférable de le changer. Toutefois, il n'est pas recommandé de changer constamment d'antidépresseurs; les effets indésirables qu'ils engendrent sont généralement moins incommodants que la dépression et ces médicaments fonctionnent mieux lorsqu'on les prend longtemps. Les troubles physiques comme les maladies cardiaques peuvent influencer l'antidépresseur que l'on vous prescrira. Assurez-vous que votre médecin connaît tous vos problèmes médicaux afin qu'il vous propose le médicament approprié.

On évite d'utiliser les antidépresseurs les plus récents chez les femmes enceintes ou allaitantes puisqu'on ne sait pas encore s'ils sont sécuritaires pour les bébés.

Traitement antérieur

Si vous avez déjà souffert de dépression et qu'un traitement aux antidépresseurs a bien fonctionné, il est préférable d'avoir recours au même médicament. S'il a été efficace dans le passé, il le sera de nouveau.

Dans le cas où un antidépresseur d'une famille donnée (comme un ISRS) vous est prescrit à la dose recommandée pendant une durée adéquate, mais ne soulage pas la dépression, le médecin pourrait choisir un antidépresseur d'une autre famille (par exemple un tricyclique).

Cela peut augmenter les chances de réussite. Cependant, si vous ne souhaitez pas changer de famille de médication ou s'il existe une raison qui vous oblige à utiliser un produit de la même famille (par exemple on privilégie les ISRS en cas de maladie du cœur), un autre médicament de la même famille pourrait fonctionner.

Qu'arrive-t-il si deux antidépresseurs différents n'ont pas donné de résultat ?

La plupart des gens voient leur état s'améliorer s'ils prennent le premier antidépresseur qu'on leur prescrit à la bonne dose, et ce, pendant le temps nécessaire. Les autres obtiennent habituellement de bons résultats avec le second produit qu'on leur prescrit. Une minorité de personnes ne se sentent pas mieux après avoir essayé deux antidépresseurs différents. Si cela vous arrive, ne vous découragez pas. Il y a d'autres optons, notamment :

- utiliser un antidépresseur particulier à fortes doses;

- combiner l'antidépresseur que vous prenez à un médicament qui en stimule la fonction;

- prendre une combinaison d'antidépresseurs.

Votre omnipraticien peut apporter certains de ces changements à votre programme thérapeutique, mais la plupart requièrent l'intervention d'un psychiatre. La raison en est que si vous prenez deux médicaments à la fois, il est nécessaire de procéder à un suivi que votre omnipraticien n'est pas en mesure de faire.

POINTS CLÉS

- Les antidépresseurs sont un traitement efficace.

- Les antidépresseurs ne provoquent pas d'accoutumance.

- On peut diminuer les effets indésirables des antidépresseurs en commençant avec de faibles doses ou en utilisant des antidépresseurs plus récents.

Traitements physiques

Thérapie électroconvulsive

La thérapie électroconvulsive (TEC) est l'un des traitements psychiatriques les plus controversés. Elle est aussi l'un des plus efficaces. Correctement prescrite, elle fonctionne, et vite, chez la vaste majorité des gens (huit sur dix). On a aussi montré qu'elle est sécuritaire.

On propose habituellement la TEC aux gens :

- dont la dépression ne réagit pas aux antidépresseurs ni à la psychothérapie;

- qui souffrent de maladies les empêchant de prendre des antidépresseurs;

- dont la dépression est si intense qu'elle met leur vie en danger (disons parce qu'ils ne mangent pas ou ne boivent pas).

Certains médecins suggèrent la TEC aux femmes atteintes d'une dépression post-natale très grave parce qu'elle donne des résultats immédiats, leur permettant de commencer tout de suite à s'attacher à leur enfant.

Des personnes qui ont déjà subi une TEC avec succès peuvent recevoir les traitements subséquents en tant que patients externes, quoique la plupart des gens se fassent hospitaliser.

L'idée de traiter des patients au moyen d'électrochocs dégoûte beaucoup de gens. Ses détracteurs ne comprennent pas pourquoi les psychiatres font appel à une technique aussi barbare. Ils affirment que personne ne sait comment la TEC fonctionne, qu'elle cause des troubles permanents au cerveau et que cette forme de torture digne de l'ère médiévale n'a pas sa place dans la médecine du 21e siècle.

En réalité, si elle ne fonctionnait pas, on ne l'utiliserait pas. Les psychiatres sont des médecins qui sont au service de leurs patients. Il est vrai que personne ne sait comment la TEC fonctionne, mais cela est aussi vrai pour bon nombre de traitements que les médecins prescrivent pour toutes sortes de maladies.

Des études ont montré que tout problème engendré par la TEC est moins grave que la dépression même. Certaines personnes ont rapporté une perte de mémoire temporaire, mais des changements apportés à la façon d'administrer la TEC ont réduit cet effet. La plupart des gens n'éprouvent aucun trouble de mémoire et presque tout le monde remarque une amélioration de leur mémoire une fois la dépression terminée.

La TEC ne règle pas les problèmes sous-jacents qui ont causé la dépression, mais elle vous ramène à un état où vous pouvez commencer à réfléchir à ces problèmes. De la même façon que la prise de médicaments, la TEC ne garantit pas que vous serez à l'abri d'une autre dépression. Plus la dépression est grave, plus le risque de rechute est grand.

Que se passe-t-il pendant la TEC ?

Un anesthésiste vous administre un anesthésique de courte durée pour vous endormir et un autre produit pour

Thérapie électroconvulsive
Montage pour la TEC

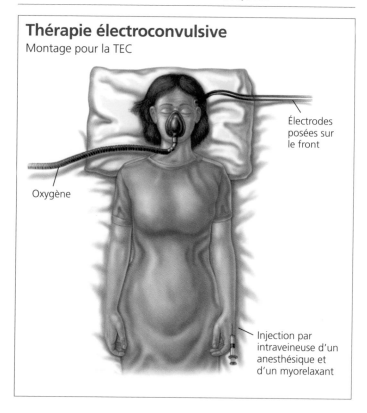

Électrodes
posées sur
le front

Oxygène

Injection par
intraveineuse d'un
anesthésique et
d'un myorelaxant

vous détendre. Vous recevez de l'oxygène par un masque pendant que vous êtes sous anesthésie. On fait passer un faible courant électrique à travers votre cerveau à l'aide d'électrodes appliquées sur votre cuir chevelu. Le courant utilisé a 1/10 de l'intensité du courant servant à la réanimation d'un cœur. Sans anesthésie ni myorelaxant, vous feriez une brève attaque, mais grâce à l'anesthésie, le seul signe qu'on peut observer est un mouvement saccadé des orteils qui ne dure que quelques secondes. Cela indique que le cerveau a une attaque, mais pas le corps. Vous vous réveillez de 10 à 15 minutes plus tard. Certaines personnes se plaignent d'une mémoire embrouillée ou d'une légère confusion tout de suite après l'intervention.

La TEC donne des résultats immédiats. La plupart des gens se sentent beaucoup mieux après deux semaines seulement. La thérapie comporte de six à dix traitements répartis sur quelques semaines (à raison de deux ou trois séances par semaine).

Recevoir une TEC

Le patient doit donner son consentement écrit avant de recevoir une TEC, comme dans le cas d'une chirurgie. Il est rare qu'on procède sans consentement. Pour ce faire, il faut que la vie du patient soit en danger. Le cas échéant, la TEC doit recevoir l'approbation de votre omnipraticien, d'un travailleur social spécialement formé et d'un psychiatre, après quoi un psychiatre indépendant sera appelé à évaluer la situation. Il doit lui aussi considérer la TEC comme essentielle, et c'est lui qui déterminera le nombre de séances. Toutefois, il se peut que les médecins commencent le traitement si le psychiatre tarde à se présenter et qu'un délai menace la vie du patient.

Stimulation magnétique transcrânienne

La stimulation magnétique transcrânienne à répétition est une nouvelle technique que certains considèrent comme utile dans le traitement de la dépression. Un champ magnétique pulsé très intense est généré à l'aide d'un appareil qu'on tient dans la main et qu'on place contre la tête du patient. Vous pouvez effectuer le traitement vous-même; vous n'avez pas à être endormi ou sous anesthésie.

Le champ magnétique affecte les cellules nerveuses et certains affirment qu'il aide à rétablir le déséquilibre chimique qui serait sous-jacent aux symptômes de la dépression. Les premières études ont montré que le traitement est à la fois sécuritaire et utile. Déjà, certaines personnes l'utilisent et ne jurent que par lui. Cependant, il faudra attendre d'autres études concluantes avant de pouvoir le recommander.

POINTS CLÉS

- On n'administre la thérapie électroconvulsive (TEC) qu'aux patients qui en ont absolument besoin.

- La TEC est un traitement sécuritaire contre la dépression.

- La TEC n'endommage pas le cerveau.

Chez l'omnipraticien

Votre omnipraticien est la première personne à consulter si vous croyez souffrir de dépression. Il possède l'expérience nécessaire pour vous aider.

- Votre omnipraticien discutera de vos problèmes et s'assurera qu'ils n'ont pas une cause physique.

- Votre omnipraticien déterminera la gravité de votre dépression.

- Peu d'omnipraticiens prescrivent des médicaments pour une dépression légère. Votre médecin vous donnera des conseils; il pourrait vous indiquer les ressources d'auto-assistance et d'entraide disponibles, et il devrait planifier de vous revoir deux semaines plus tard pour vérifier si vous allez mieux. Si la situation ne s'améliore pas, il pourrait vous suggérer la consultation et une psychothérapie. Toutefois, si vous avez déjà eu une dépression dans le passé, il vous proposera de reprendre le traitement qui a déjà fonctionné.

- Dans le cas d'une dépression modérée, votre omnipraticien peut vous offrir de prendre des antidépresseurs et vous rediriger vers un service de psychothérapie ou de consultation.

- Si vous refusez de prendre des antidépresseurs, votre omnipraticien vous suivra de près. Cependant, il serait préférable de prendre les médicaments si votre omnipraticien estime que vous en avez besoin.

- Si vous souffrez de dépression grave, votre omnipraticien peut vous traiter, mais il pourrait vous rediriger vers un psychiatre. Cela dépendra de vos symptômes.

- Dès que vous commencez à prendre des antidépresseurs, que ce soit pour une dépression légère, modérée ou grave, votre omnipraticien voudra vous revoir après une semaine ou deux. Il doit s'assurer que vous n'avez pas d'effets indésirables et que le médicament vous convient.

- Si vous ne tolérez pas la médication, il est possible de la changer. Mentionnez donc tout problème à votre omnipraticien.

- L'effet des comprimés se fait sentir graduellement. Les troubles du sommeil et la fatigue disparaissent en premier et l'humeur dépressive, souvent en dernier.

- Vous devrez voir votre omnipraticien sur une base régulière afin de recevoir une nouvelle ordonnance et de vous assurer que tout va bien.

- Vous devriez vous sentir beaucoup mieux après quatre semaines. Vos symptômes n'auront peut-être pas tous disparu, mais vous serez sur la voie de la guérison. Votre état devrait continuer de s'améliorer au cours des semaines suivantes.

- Même si vous vous sentez beaucoup mieux, vous devriez continuer de prendre vos médicaments pendant encore six mois. Après cette période, vous pourrez vous en sevrer graduellement, et pas d'un seul coup, sous la supervision de votre omnipraticien.

DÉPRESSION

- S'il n'y a pas d'amélioration après quatre semaines, votre omnipraticien pourrait changer d'antidépresseurs. En revanche, un progrès, si léger soit-il, peut inciter le médecin à poursuivre le traitement pour voir s'il va fonctionner.

- Si vous allez mieux après deux autres semaines, votre omnipraticien maintiendra son ordonnance pendant au moins six mois avant de commencer le sevrage graduel.

- Il se peut qu'il n'y ait pas d'amélioration même si vous prenez religieusement vos médicaments. Dans ce cas, les omnipraticiens ont deux options : soit ils changent de nouveau vos antidépresseurs, soit ils vous redirigent vers un psychiatre.

- Le psychiatre procédera à une évaluation afin d'écarter toute cause sous-jacente à votre dépression. Il pourra alors vous prescrire une médication différente. Si l'on ne vous a pas déjà offert de suivre une thérapie cognitivo-comportementale, le psychiatre pourrait vous le proposer en plus des médicaments.

- Si vous n'allez pas mieux après un mois, le psychiatre pourrait changer de médicaments ou combiner des médicaments, ou encore vous faire admettre à l'hôpital pour procéder à des tests plus poussés.

- Les psychiatres peuvent prescrire une grande variété de médicaments. Essayez de rester positif jusqu'à ce que l'on trouve celui qui vous convient.

- Une dépression très grave dès le début – avec délires, pulsions suicidaires, omission de manger ou de boire – pourra inciter votre omnipraticien à vous rediriger directement vers un psychiatre. Celui-ci pourrait vous offrir de vous hospitaliser afin de commencer le traitement dans un environnement sécuritaire. Il pourrait aussi vous proposer de combiner des médicaments et une psychothérapie en tant que patient externe.

Préserver votre bien-être

Après un épisode de dépression, le défi consiste à continuer de vous sentir bien.

Les personnes qui ont souffert d'un épisode de dépression ont un risque plus élevé d'en avoir un autre que celles qui n'en ont jamais eu. Il y a cependant plusieurs façons de diminuer les risques de rechute.

- Essayez de pratiquer davantage les activités que vous aimez.
- Faites de l'exercice sur une base régulière : cela rehausse l'humeur.
- Évitez l'alcool et les drogues à usage récréatif; ils donnent une impression de bien-être sur le moment, mais laissent place à la déprime par la suite.
- Si vous vous retrouvez seul ou craignez d'être un fardeau pour vos amis, joignez-vous à un groupe de soutien afin de discuter de vos problèmes et de vos sentiments.
- Chaque fois que vous ressentez de la tension (du stress), appliquez les techniques de relaxation décrites dans ce livre (voir la page 52).
- Après une thérapie, assurez-vous de mettre en pratique les techniques de résolution de problèmes et de communication que vous avez apprises.
- De deux à quatre séances supplémentaires d'une psychothérapie à court terme, par exemple la thérapie cognitivo-comportementale, réparties sur une période de 12 mois, pourraient diminuer les risques de rechute.
- Prenez rigoureusement les médicaments prescrits pendant la période indiquée.
- Pour un premier épisode de dépression, on vous recommandera de prendre des antidépresseurs pendant six mois à un an. Si ce n'est pas votre première dépression, on pourrait vous conseiller de poursuivre la médication pendant au moins deux ans.
- En cas de dépression récurrente, votre médecin pourrait vous proposer un traitement au lithium. On a montré que le lithium réduit le nombre d'épisodes de dépression chez une personne.
- Si vous décidez d'interrompre votre médication ou de réduire la dose, ne le faites qu'après en avoir discuté avec votre médecin.

Dépression chez les femmes

Dépression et sexe

Les femmes ont deux fois plus de risques de recevoir un diagnostic de dépression que les hommes. De nombreuses raisons peuvent expliquer ce phénomène.

- Cela peut refléter le fait que les femmes sont plus ouvertes à reconnaître leurs sentiments que les hommes.

- Il se pourrait que les médecins masculins voient les femmes comme étant plus sujettes à la dépression et posent ainsi plus souvent ce diagnostic.

- Cela peut refléter le fait que les femmes consultent davantage le médecin que les hommes, et que les médecins ont alors plus souvent l'occasion de diagnostiquer une dépression.

Ce sont là des facteurs importants, mais il existe aussi des différences physiques entre les hommes et les femmes qui semblent rendre ces dernières plus vulnérables à la dépression. La plus importante d'entre elles est le taux des hormones sexuelles que sont l'œstrogène et la progestérone. Les femmes possèdent des taux plus élevés de ces hormones, et ces taux fluctuent durant le cycle menstruel, la grossesse et la ménopause. La pilule anticonceptionnelle, qui contient des hormones sexuelles, peut causer la dépression.

Cycle menstruel

Les taux d'œstrogène et de progestérone fluctuent durant le cycle menstruel. La progestérone est produite en moyenne pendant les dix jours qui précèdent les règles, puis son taux chute. On lui attribue un rôle dans le syndrome prémenstruel (SPM), qui se manifeste habituellement quelques jours avant le début des règles et se termine quelques jours après. Certains symptômes du SPM disparaissent dès le début des règles.

Les femmes qui souffrent du SPM n'éprouvent pas toutes les mêmes symptômes, mais une sensibilité des seins, une distension et un inconfort abdominal, combinés à de l'irritabilité, de l'anxiété et de la dépression, sont parmi les plus courants.

Certains médecins croient que les symptômes du SPM résultent de la fluctuation du taux de progestérone, tandis que d'autres affirment qu'ils découlent de l'inquiétude. Ils prétendent que les femmes qui désirent très fort avoir un bébé espèrent qu'elles n'auront pas leurs règles et que celles qui ne veulent pas d'enfant espèrent les avoir. Les unes comme les autres seraient donc préoccupées durant la période qui précède leurs règles. Notez que ces théories psychologiques n'ont jamais été prouvées!

Même si on a fait appel à de nombreux traitements contre le SPM, y compris l'hormonothérapie substitutive et les diurétiques, ils donnent en général de piètres résultats. Le soutien, la sympathie et la compréhension sont plus efficaces dans la plupart des cas et on réserve ces traitements aux femmes qui présentent des symptômes graves.

Il existe des centres spécialisés dans le traitement du SPM grave, parfois avec des résultats spectaculaires.

Dépression et maternité

Les taux d'œstrogène et de progestérone sont très élevés pendant la grossesse et diminuent de façon marquée après la naissance du bébé. Cette fluctuation soudaine engendre parfois une dépression. Environ la moitié des femmes ont le baby-blues, 15 % ont une dépression post-partum de légère à modérée et une sur 500 est atteinte d'une dépression post-partum grave.

Baby-blues

La moitié des nouvelles mamans souffrent de baby-blues dans la semaine qui suit l'accouchement. Cela survient à peu près le troisième jour après la naissance du bébé; la mère peut alors se sentir irritable et au bord des larmes. Le plus souvent, elle retrouve sa forme vers la fin de la semaine. Tout ce dont elle a besoin dans l'intervalle est du soutien, de l'amour et de la compréhension.

Dépression post-partum légère ou modérée

La dépression de longue durée est courante après un accouchement. Elle passe souvent inaperçue du fait qu'on attribue l'humeur de la nouvelle maman à sa période d'ajustement à son nouveau rôle ou au manque de sommeil la nuit. Les types de dépression les plus graves apparaissent tôt après la naissance du bébé, mais les dépressions moins graves, plus courantes, peuvent se déclencher après deux semaines ou même un an. Parfois, elles débutent lorsque le soutien et l'attention des proches commencent à diminuer. Les symptômes peuvent être moins définis que dans les autres types de dépression. Souvent, la femme se sent très anxieuse, en particulier à

propos du bien-être et de l'alimentation du bébé, et elle peut se sentir coupable et faire son autocritique en plus d'être constamment fatiguée et irritable.

La dépression post-partum ne peut pas s'expliquer que par une fluctuation hormonale. D'abord, la principale fluctuation hormonale survient bien avant le début de la dépression. Il se pourrait qu'elle rende les femmes vulnérables à la dépression, mais les facteurs sociaux ont aussi un rôle à jouer.

En général, les femmes ont un risque accru de dépression post-partum après une grossesse ou un accouchement particulièrement difficile, lorsque la réalité de la maternité ou le nouveau rôle ne répond pas aux attentes ou lorsque l'arrivée d'un nouveau bébé place les problèmes conjugaux à l'avant-plan.

Il est généralement nécessaire de traiter la dépression post-partum. Une étude récente a montré que les antidépresseurs et une thérapie cognitivo-comportementale (voir la page 68) donnent de bons résultats. Il est possible d'allaiter tout en prenant des antidépresseurs, mais une petite quantité risque de passer dans le lait maternel. Lorsque la dose requise est élevée, ou si le bébé est très sensible au médicament, il est préférable de nourrir le bébé au biberon à moins de trouver un médicament approprié.

Lorsqu'une femme reçoit un traitement pour une dépression post-partum, la participation et la compréhension du conjoint sont des atouts. Il arrive que le père ait aussi besoin d'aide; en effet, le risque de dépression est élevé chez les nouveaux pères dont la conjointe est dépressive. Un traitement améliore grandement le taux de guérison : les femmes traitées contre la dépression post-partum se remettent habituellement tout à fait, tandis que les autres n'ont que 50 % de chances d'aller mieux lors du premier anniversaire de leur enfant.

Dépression post-partum grave

Un type de dépression post-partum plus rare touche une minorité de femmes qui deviennent gravement dépressives les deux semaines suivant l'accouchement. Ce cas se présente le plus souvent :

- après la première grossesse;

- chez les femmes qui ont déjà souffert d'une maladie psychiatrique;

- chez les femmes qui ont des antécédents familiaux de maladie psychiatrique.

On croit que les fluctuations hormonales pourraient déclencher la dépression chez les femmes qui y sont sujettes.

Facteurs de risque de la dépression post-partum

Certains facteurs augmentent la probabilité que la nouvelle maman souffre de dépression post-partum. Plus le nombre de facteurs de risque est élevé chez une femme, plus elle est sujette à avoir une dépression.

Avant la naissance du bébé

- Troubles de fertilité
- Maladie psychiatrique antérieure
- Maladie psychiatrique dans la famille
- Monoparentalité
- Problèmes financiers majeurs
- Devenir enceinte à un très jeune âge (moins de 16 ans)
- Devenir enceinte après 35 ans
- Incertitude quant au désir d'avoir un enfant
- Inquiétudes relatives à la santé de l'enfant
- Anxiété de légère à modérée au cours des trois derniers mois de la grossesse
- Accouchement difficile

Après la naissance du bébé

- Naissance prématurée (avant la 37e semaine)
- Maladie physique
- Isolement social
- Manque de soutien de la part du partenaire
- Retour au travail avec moins d'ancienneté qu'avant

Dans le cas d'une dépression grave, la femme perd contact avec la réalité et peut avoir des délires et des hallucinations. Elle met alors le bébé en danger. Il est déjà arrivé que des femmes gravement atteintes tuent leur bébé. Certaines s'imaginent que le monde est si mauvais qu'elles devraient éviter toute cette misère à leur enfant, d'autres croient que quelque chose ne va pas chez leur enfant et qu'elles lui rendraient service en lui donnant la mort.

Dans une situation aussi grave, il est habituellement nécessaire d'admettre la femme dans un établissement afin de la traiter, surtout si elle risque de faire du mal à son enfant ou à elle-même. Le meilleur endroit est l'unité mère-enfant d'un hôpital, où la mère peut prendre soin de son bébé avec l'aide du personnel.

Le traitement consiste en général en des antidépresseurs, souvent accompagnés de médicaments destinés à éliminer les délires et les hallucinations. Il est habituellement possible d'allaiter tout en prenant la médication, bien que de minimes quantités puissent passer dans le lait maternel. Si la femme doit recevoir des doses importantes ou que le bébé est très sensible aux médicaments, il est préférable de le nourrir au biberon à moins de trouver un médicament approprié. Dans le cas du lithium (voir la page 90), il est obligatoire d'interrompre l'allaitement, car les bébés sont très sensibles aux effets qu'il engendre.

Certains médecins proposent une thérapie électroconvulsive pour traiter la dépression sévère qui suit un accouchement. Elle donne des résultats rapidement et permet à la mère de nouer tout de suite des liens avec son enfant. La grande majorité des femmes reçoivent un traitement sous forme de comprimés.

Les femmes atteintes de dépression post-natale guérissent généralement sans problèmes, mais elles sont à risque d'en avoir une autre si elles accouchent de nouveau. Il importe de mentionner à votre médecin ou à votre obstétricien que vous avez déjà eu une dépression post-partum en cas de nouvelle grossesse afin qu'il puisse vous suivre de près et vous prescrire rapidement un traitement au besoin.

Ménopause

Les femmes cherchent plus souvent à obtenir de l'aide pour une dépression vers la cinquantaine. Beaucoup de médecins attribuent cela à la ménopause (l'arrêt des règles chez la femme). Ils s'appuient sur la théorie selon laquelle les fluctuations hormonales déclenchent alors une dépression de la même façon qu'après un accouchement ou que dans le SPM. Il n'y a cependant pas de données fiables indiquant que la dépression soit plus courante au moment de la ménopause.

Il se produit d'autres changements dans la vie de nombreuses femmes à la cinquantaine qui peuvent jouer un rôle dans le déclenchement d'une dépression. Par exemple, les enfants peuvent partir de la maison, la relation avec le conjoint peut se transformer et leurs parents peuvent devenir malades.

En Europe, les femmes atteintes d'une maladie dépressive à l'époque de la ménopause se font prescrire des antidépresseurs, si cela leur convient, comme toute autre personne présentant un état similaire. En Amérique du Nord, en revanche, les psychiatres croient plus fermement que les hormones sont la cause de la dépression et certains prescrivent un traitement à l'œstrogène. On n'a pas démontré son efficacité, mais certaines femmes qui prennent une hormonothérapie substitutive (contenant de l'œstrogène) pour soulager les symptômes de la ménopause disent qu'elles se sentent également moins déprimées.

Hystérectomie et stérilisation

Des études réalisées il y a quelques années ont révélé que les femmes sont plus sujettes à la dépression après une stérilisation ou une hystérectomie. Toutefois, des études plus récentes remettent ces résultats en question. Les ovaires produisent de nombreuses hormones dont les fonctions ne sont pas toutes connues, et certains médecins étasuniens pensent que leur ablation pourrait engendrer une dépression chez certaines femmes. D'autres médecins sont d'avis que l'hystérectomie ne déclenche une dépression que chez les femmes préalablement sujettes à une maladie psychiatrique. Certains spécialistes soulignent pour leur part qu'il y a des femmes qui guérissent de leurs symptômes psychiatriques après une hystérectomie.

Les mêmes hypothèses s'appliquent aux interventions de stérilisation. En d'autres mots, il est possible que seules les femmes déjà à risque de dépression développent la maladie après une stérilisation.

Femmes au foyer

Il se pourrait que le taux de dépression plus élevé chez les femmes ait un lien avec leur situation sociale et non avec leurs hormones. Dans une importante étude, des chercheurs du sud de Londres, en Angleterre, ont mené une enquête auprès de femmes qui restaient à la maison le jour.

Ils ont trouvé que les personnes ayant le plus de risques d'avoir une dépression étaient les jeunes mères ayant trois enfants de moins de dix ans ou plus, recevant peu d'aide de leur conjoint, n'ayant personne à qui se confier, mal logées et ne travaillant pas à l'extérieur de la maison.

POINTS CLÉS

■ Plusieurs raisons peuvent expliquer pourquoi les femmes reçoivent plus souvent un diagnostic de dépression que les hommes.

■ Des fluctuations des taux d'œstrogène et de progestérone peuvent déclencher une dépression.

■ La dépression post-natale passe souvent inaperçue, bien qu'on puisse la traiter efficacement.

Dépression chez les jeunes

Symptômes de la dépression chez les jeunes

La dépression chez les enfants et celle des adultes se ressemblent beaucoup, mais présentent aussi d'importantes différences.

Bon nombre des symptômes de la dépression sont les mêmes chez les jeunes et chez les adultes. Comme dans le cas des adultes, on note un changement de l'humeur qui persiste. Les jeunes éprouvent des symptômes physiques comme un manque ou un excès de sommeil ainsi qu'un faible niveau d'énergie. Ils rapportent aussi des symptômes psychologiques tels qu'une mauvaise concentration et une vision négative du monde et de la place qu'ils y occupent.

Cependant, beaucoup de jeunes nient leur sentiment de tristesse en dépit des changements à leur comportement et ils sont plus grincheux et irritables que d'habitude. La dépression ne se manifeste pas selon un modèle précis chez les enfants. Certains cas se révèlent à l'omnipraticien parce que l'enfant se plaint de maux de tête (céphalées), de maux de ventre ou de douleurs dans les os et qu'on ne détermine aucune cause. D'autres s'infligent pour la première fois des blessures corporelles, ne se préoccupent pas de leur apparence générale, deviennent introvertis ou ne s'intéressent plus à rien. Il arrive aussi qu'une baisse du rendement scolaire ou une tendance accrue à argumenter constitue un premier signe.

Les symptômes de la dépression varient selon l'âge. Les enfants se plaignent le plus souvent de malaises physiques comme des maux de tête (céphalées) et de ventre et ne donnent pas l'impression d'être dépressifs. Les adolescents mentionnent davantage leur humeur morose et présentent un taux plus élevé de pensées suicidaires.

Humeur sombre ou déprime ?

Des études ont montré que beaucoup de jeunes ont des symptômes dépressifs, mais que ces derniers ne sont pas assez importants pour qu'on diagnostique une maladie ou qu'on recoure à un traitement.

Il peut être difficile de distinguer la dépression des sautes d'humeur courantes chez les adolescents. Un indicateur est que les adolescents dépressifs n'éprouvent plus de plaisir et qu'ils ont une faible estime de soi. Ils ont souvent peu de choses positives à dire à propos d'eux-mêmes, pensent qu'ils ne valent rien et se considèrent comme responsables de la situation dans laquelle ils se trouvent, sans avoir la capacité de changer les choses.

Lorsque les symptômes de la dépression chez les adultes, notamment une mauvaise concentration, une perte de confiance en soi, et dans les cas plus graves des délires et des pensées suicidaires, s'ajoutent aux précédents, le diagnostic devient facile à poser.

On diagnostique une maladie dépressive lorsque les symptômes mènent à une souffrance personnelle importante et à une déficience sociale.

Il faut en général beaucoup de temps avant d'arriver à ce diagnostic. Tout comme les adultes, bien des jeunes ne sont pas enclins à parler lorsqu'ils voient un médecin ou un thérapeute. Et comme chez les adultes, la dépression peut être légère, modérée ou grave, selon le nombre et l'intensité des symptômes.

En règle générale, la dépression ne requiert un traitement que si elle empêche la personne de faire ce qu'elle désire ou modifie sa capacité à réaliser certaines tâches, par exemple les travaux scolaires. Un suivi peut être suffisant dans le cas où les symptômes sont mineurs.

Facteurs de risque et données

La dépression est moins courante chez les jeunes que chez les adultes. Chaque année, 1 % des enfants prépubères et 3 % des adolescents postpubères souffrent de dépression.

Certaines des causes sous-jacentes de la dépression sont les mêmes chez les enfants que chez les adultes, par exemple les facteurs génétiques, la personnalité ou le milieu familial. D'autres causes, comme l'intimidation, le transfert dans un foyer d'accueil, la personnalité et le développement social durant l'adolescence, en plus des fluctuations hormonales et du développement du cerveau, sont particulières aux jeunes.

Plus de 95 % des épisodes de dépression grave chez les jeunes se produisent chez les enfants et les adolescents qui connaissent des difficultés depuis longtemps, entre autres des problèmes familiaux ou conjugaux, un divorce ou une séparation, de la violence domestique, des sévices sexuels et physiques, des problèmes à l'école et des échecs aux examens.

Un très petit nombre d'épisodes de dépression chez les enfants et les jeunes survient en l'absence de difficultés antérieures et résulte d'un événement perturbant comme une agression.

La dépression est déclenchée par un événement qui a un effet négatif majeur, par exemple la séparation des parents ou une dispute avec un ami proche.

Le stress social semble être un facteur sous-jacent important puisque les taux de dépression sont plus élevés dans les familles moins bien nanties, dans les familles monoparentales, dans les familles dont les parents n'ont pas bien réussi à l'école ainsi que chez les enfants sous la tutelle d'autorités locales ou en établissements pour jeunes délinquants.

La dépression infantile et adolescente a tendance à se manifester de pair avec d'autres problèmes de santé mentale comme l'abus de drogues ou d'alcool, ou l'hyper-activité.

Traitement de la dépression dans l'enfance

La plupart des jeunes atteints de dépression ne reçoivent pas de traitement. La raison en est qu'ils sont réticents à demander de l'aide à cause de l'image négative associée aux problèmes de santé mentale, mais aussi que leurs parents, les professionnels de la santé et les enseignants ne reconnaissent pas le problème. La dépression reste non diagnostiquée chez 75 % des jeunes qui en souffrent.

Les stratégies thérapeutiques devraient cibler l'enfant dans tous les aspects de sa vie. Beaucoup de jeunes souffrant de dépression ont aussi d'autres problèmes de santé mentale, auxquels s'ajoutent souvent des problèmes sociaux et familiaux. Il importe donc de tout prendre en compte. Il faut aussi vérifier si les parents ont eux-mêmes besoin d'un traitement pour un problème psychiatrique, par exemple la dépression.

Un programme thérapeutique devrait viser :

- à guérir la dépression;

- à améliorer les autres problèmes de santé mentale;

- à améliorer le développement social et émotionnel ainsi que le rendement scolaire;

- à réduire la détresse familiale;

- à réduire le risque de rechute.

Le traitement contre la dépression chez les jeunes fait appel à divers intervenants.

Niveau 1

Les omnipraticiens, les pédiatres, les visiteurs sanitaires, les infirmières scolaires et les travailleurs sociaux.

Niveau 2

Des services de santé mentale pour enfants et adolescents : les psychologues cliniciens pour enfants, les pédiatres ayant

Quelques groupes à risque élevé de dépression infantile :

- les enfants qui refusent d'aller à l'école;

- les enfants victimes d'abus;

- les jeunes qui ont vécu un événement traumatisant significatif;

- les jeunes qui se blessent à répétition;

- les jeunes impliqués dans des disputes familiales chroniques;

- les jeunes qui ont des problèmes persistants de drogue ou d'alcool.

une formation en santé mentale, des psychopédagogues, des psychiatres pour enfants et adolescents, des psycho-thérapeutes pour enfants et adolescents, des conseillers et des thérapeutes familiaux.

Niveau 3

Les unités psychiatriques de jour pour enfants et adolescents, les équipes hautement spécialisées en soins externes (le patient reçoit des soins à l'hôpital et rentre chez lui) et en soins hospitaliers (le patient est hospitalisé).

La plupart des jeunes atteints de dépression reçoivent des traitements de niveau 1 et de niveau 2. Très peu sont admis dans une unité spécialisée en soins hospitaliers.

Dépression légère

La dépression légère est habituellement traitée par le mé-decin de famille ou d'autres intervenants de niveau 1. La plupart des omnipraticiens évaluent le jeune et sa famille.

Auto-assistance dans le cas d'une dépression légère

L'auto-assistance devrait comprendre :

- des livres et des dépliants d'information sur la dépression;
- des conseils sur les bienfaits de l'exercice régulier et un programme d'exercice supervisé (trois séances de 45 à 60 minutes par semaine, et ce, sur une période allant jusqu'à 3 mois);
- des conseils pour arriver à bien dormir et à gérer l'anxiété;
- des conseils sur la nutrition et les bienfaits d'une alimentation équilibrée.

Un bon omnipraticien donnera à son patient l'occasion de le rencontrer seul ainsi qu'avec un parent.

Si, après évaluation, l'omnipraticien note des facteurs aggravants, par exemple d'autres facteurs de risque tels que des pensées suicidaires, des problèmes de santé mentale comme l'abus de substances ou des troubles de santé mentale chez d'autres membres de la famille, il peut choisir de rediriger son patient vers des intervenants du niveau 2.

Dans les cas où il n'y a pas d'indication de pensées suicidaires ou d'autre problème majeur, l'omnipraticien commence habituellement par un suivi serré – par exemple il peut revoir son patient deux semaines plus tard, puis encore deux semaines après, pour voir si la dépression se résorbe.

Si, après un mois de suivi, l'état du patient ne s'est pas amélioré, l'omnipraticien peut proposer l'une des trois interventions qui suivent jusqu'à concurrence de trois mois :

1. une psychothérapie de soutien individuelle;

2. une thérapie cognitivo-comportementale de groupe;

3. de l'auto-assistance (voir l'encadré de la page 121).

On proscrit l'utilisation d'antidépresseurs dans le traitement initial de la dépression légère chez les enfants et les jeunes.

Si, après trois mois, le traitement de la dépression ne donne pas de résultat, il convient de consulter un spécialiste.

Dépression de modérée à grave

La plupart des omnipraticiens redirigent les jeunes patients vers un service psychiatrique pour enfants et adolescents seulement dans les cas où les problèmes vécus sont très complexes, si les patients ne montrent pas d'amélioration après trois mois de traitement ou s'ils ont montré dès le départ une dépression modérée ou grave, une dépression récurrente, des idées suicidaires ou une négligence inexpliquée de leur personne pendant au moins un mois. Cependant, ils peuvent le faire à la demande des parents.

Les enfants et les jeunes atteints de dépression modérée ou grave doivent en premier lieu se voir offrir, comme traitement de première ligne, une psychothérapie particulière comme une thérapie cognitivo-comportementale, une thérapie interpersonnelle ou une thérapie familiale d'une durée d'environ trois mois. En l'absence d'amélioration, on peut considérer une thérapie individuelle pour le jeune ou ses parents.

Étant donné la nature complexe et grave de la dépression, plusieurs thérapeutes pourraient être impliqués dans le traitement, chacun cherchant à améliorer un aspect donné du problème. Par exemple, en plus d'un psychiatre, un psychopédagogue peut intervenir à l'école, un thérapeute familial peut travailler sur les problèmes de la famille et les travailleurs sociaux peuvent s'occuper des problèmes financiers, domiciliaires ou juridiques.

Médication

Si les psychothérapies sont inefficaces, les médecins peuvent envisager d'ajouter des médicaments au traitement. Un antidépresseur ne devrait être prescrit qu'en combinaison avec une psychothérapie. Dans le cas où un patient refuse la psychothérapie, il est possible de lui prescrire des antidépresseurs seuls, mais il importe alors de faire un suivi serré, disons une fois par semaine pendant les quatre premières semaines au moins. La raison en est qu'il faut déterminer les effets indésirables de la médication et que les antidépresseurs pourraient accroître les tendances suicidaires chez certains jeunes dépressifs.

Thérapie aux antidépresseurs chez les enfants

- On ne devrait prescrire des antidépresseurs qu'en combinaison avec une psychothérapie.

- Il faut prescrire les antidépresseurs à de faibles doses.

- On peut prescrire des antidépresseurs en cas de refus d'une psychothérapie, mais cela demande un suivi de l'humeur et des effets indésirables du médicament.

- On ne devrait prescrire des antidépresseurs qu'après une évaluation et un diagnostic de l'état de l'enfant ou de l'adolescent par un psychiatre.

- On prescrit souvent la fluoxétine, car des études ont montré son efficacité; elle demande toutefois un suivi étroit du patient puisqu'elle peut augmenter légèrement les idées suicidaires.

- Si la fluoxétine est inefficace, on peut avoir recours à d'autres antidépresseurs après une réflexion sérieuse et une discussion au sujet de leurs risques et de leurs bienfaits. De nombreux médecins essaient de ne pas prescrire aux enfants certains antidépresseurs, comme la paroxétine, la venlafaxine et les tricycliques.

- Il faut faire un suivi chez tous les jeunes qui prennent des antidépresseurs pour connaître leurs effets indésirables et détecter l'apparition de pensées suicidaires.

- Il faut continuer de prendre les antidépresseurs pendant six mois après la disparition des symptômes.

- Il faut interrompre graduellement la prise des antidépresseurs sur une période de 6 à 12 semaines.

- Si un jeune prend du millepertuis, le médecin doit lui recommander d'arrêter.

Chez les jeunes de plus de 12 ans, des données indiquent qu'un médicament, la fluoxétine, un ISRS (inhibiteur sélectif du recaptage de la sérotonine), est efficace. Dans le groupe des 5 à 11 ans, il y a peu de preuves de l'efficacité d'une médication en particulier. On peut faire l'essai d'un autre antidépresseur si la fluoxétine s'avère inefficace.

Admission à l'hôpital

On peut envisager l'admission dans une unité d'un hôpital pour l'administration des soins de niveau 3 pour un enfant ou un jeune à risque élevé de se suicider, de s'infliger des blessures ou de négliger sa personne s'il n'y a pas de ressources dans la communauté pouvant offrir un suivi ou des soins suffisamment spécialisés.

Une fois la dépression guérie

Un jeune qui a souffert d'une dépression a un risque accru de rechute. Par conséquent, les services de soins font un suivi pendant au moins un an après la guérison de la dépression. En outre, ils peuvent procéder plus rapidement en cas de réapparition des symptômes.

En perspective

La dépression infantile est une maladie grave. Sans traitement, seulement 10 % des jeunes atteints se remettent en deçà de trois mois. Après un an, la moitié des jeunes seront guéris. Le traitement réduit la durée de la maladie.

La complication la plus grave de la dépression est le suicide. On rapporte que 3 % des enfants atteints se tuent dans les dix années qui suivent. D'autres problèmes incluent un mauvais rendement scolaire et des difficultés dans le développement de la personnalité. Un jeune atteint de dépression sur trois aura une rechute dans les cinq ans suivant son premier épisode et bon nombre auront plusieurs épisodes de dépression à l'âge adulte.

POINTS CLÉS

■ Plusieurs symptômes de la dépression sont les mêmes chez les jeunes et chez les adultes.

■ La dépression chez les jeunes est souvent déclenchée par un événement qui a d'importantes répercussions négatives, par exemple la séparation des parents.

■ Le traitement de la dépression chez les jeunes peut se faire à l'un de trois niveaux.

■ On ne devrait pas prescrire d'antidépresseurs dans le traitement initial des jeunes souffrant de dépression légère.

Dépression chez les personnes âgées

Le traitement de la dépression est différent chez les personnes âgées. On leur prescrit habituellement des doses de médicaments plus faibles et les omnipraticiens ont comme consigne d'attendre plus longtemps avant de conclure que la médication est inefficace. Il faut suivre les effets indésirables de près et les médecins doivent être très vigilants en raison de la possibilité d'une interaction entre les antidépresseurs et d'autres médicaments sous ordonnance.

Cela ne doit pas empêcher les médecins de traiter la dépression puisque l'approche médicamenteuse de même que la psychothérapie fonctionnent aussi bien chez les personnes âgées que chez les plus jeunes. Les antidépresseurs donnent aussi de bons résultats dans des maladies comme la démence.

En général, un médecin fera preuve de plus de prudence dans le traitement de votre dépression si vous êtes âgé. Non seulement vous prescrira-t-il de plus faibles doses de médicaments et attendra-t-il plus longtemps pour vérifier leur efficacité, mais il vous fera prendre le médicament sur une période plus longue à la fin de l'épisode de dépression. On procède ainsi parce que des études ont montré que cela diminue les risques de rechute. Le médecin surveillera vos analyses sanguines, car il y a un lien entre un faible niveau sodique dans le sang et la prise d'antidépresseurs chez les personnes âgées. Des symptômes comme de la somnolence et de la confusion peuvent apparaître si le taux de sodium est trop faible.

POINTS CLÉS

- Le traitement de la dépression est différent chez les personnes âgées.

- On surveille les analyses sanguines chez les personnes âgées, car il y a un lien entre un faible niveau sodique dans le sang et la prise d'antidépresseurs dans ce groupe d'âge.

Chagrin et deuil

Lien entre le deuil et la dépression

Il existe un lien complexe entre le deuil et la dépression. Le deuil peut déclencher la dépression, même si ce n'est pas le cas la plupart du temps. Cependant, une personne qui vit un deuil récent peut éprouver de nombreux symptômes similaires à ceux de la dépression. Une étude a montré qu'environ 30 % des veuves de plus de 62 ans répondaient aux critères de la maladie dépressive.

En situation de deuil, les pensées suicidaires, le ralentissement mental et physique ainsi que les remords pour des événements passés se manifestent moins souvent que dans la dépression. Si cela vous arrive, vous pourriez souffrir d'une dépression et non avoir un simple chagrin, ce qui demande un traitement. Consultez un médecin sans tarder si vous avez des pensées autodestructrices ou que vous avez arrêté de manger complètement.

Chagrin normal

Le chagrin est une expérience normale de la vie qui ne requiert pas de traitement médical. Il comporte trois stades.

1. Engourdissement

Cela peut durer de quelques heures à une semaine. Vous pourriez vous sentir engourdi émotionnellement et avoir l'impression que la personne n'est pas décédée ou encore simplement refuser d'accepter la réalité du décès.

2. Deuil

Ce stade dure d'une semaine à six mois (les choses deviennent plus faciles après environ trois mois). Vous pourriez vous sentir triste et déprimé, manquer d'appétit, pleurer souvent, vous sentir agité et anxieux ou avoir une mauvaise concentration. Certaines personnes ressentent de la culpabilité. Elles ont l'impression de ne pas en avoir fait assez pour le défunt. D'autres en veulent aux professionnels de la santé ou aux amis de la famille. Vous pourriez éprouver des symptômes physiques comme de la douleur à ce stade.

La plupart des gens ont le sentiment que le défunt est toujours présent à certains moments, et une personne sur dix affirme avoir vu, entendu ou senti le défunt alors que ce dernier a quitté ce monde. Plusieurs des expériences précédentes ressemblent aux effets de la dépression, mais elles sont normales : vous n'êtes ni dépressif ni en train de devenir fou.

3. Acceptation

Six mois après le décès, les symptômes disparaissent. Vous commencez à accepter le décès et essayez de reprendre votre vie normale. Le temps de récupération varie d'une personne à une autre.

Faire face au chagrin

Le chagrin est normal et vos sentiments aussi. Il s'agit d'un processus qui doit suivre son cours, sinon vos sentiments

peuvent couver sous la cendre et vous jouer un tour en finissant par déclencher une dépression. Il faut laisser le chagrin s'exprimer et non le refouler.

Même si vous semblez réagir fortement à un décès au début, il est probable que vous arriverez à vous en sortir avec le soutien de vos amis et de votre famille, ou encore avec celui d'un thérapeute.

Il est généralement préférable de vous tourner d'abord vers vos proches. Tous ces gens ont aussi besoin de vivre leur chagrin et le soutien qu'ils pourront vous apporter les aidera à faire la paix avec les événements. Ne croyez pas que vous êtes un fardeau; le soutien va dans les deux sens. Vos proches ont aussi besoin de vous.

Les thérapeutes offrent du soutien aux personnes vivant un chagrin intense et peuvent les aider à faire leur cheminement de façon contrôlée. Ils sont particulièrement utiles si vous n'arrivez pas à franchir les étapes du chagrin ou si l'épreuve vous semble trop difficile à surmonter. Les thérapeutes pour personnes endeuillées ont pour objectif de vous aider à accepter la mort en vous invitant à parler des circonstances liées au décès; ils encouragent l'expression de la douleur causée par le deuil; ils essaient d'élaborer des stratégies d'adaptation et de trouver des gens qui peuvent vous aider; ils vous aident à refaire votre vie. Votre omnipraticien ou un groupe de soutien pour personnes endeuillées pourrait vous fournir des noms de thérapeutes au besoin.

Causes de chagrin intense

Même si le décès d'un être aimé est toujours difficile à supporter, il y a des situations qui rendent le chagrin encore plus pénible :

- le décès est soudain ou inattendu;
- le décès engendre de la culpabilité chez le survivant;
- c'est un parent qui perd son enfant;
- c'est un jeune enfant qui perd l'un de ses parents;
- c'est la personne qui avait la charge d'un adulte qui meurt;
- le survivant a de la difficulté à exprimer ce qu'il ressent;
- le survivant essaie déjà de s'adapter à une perte antérieure;
- le survivant est isolé sur le plan social;
- le survivant a des enfants à sa charge.

Soutien d'une personne en deuil

Il est important de donner l'occasion à une personne en deuil d'exprimer ses sentiments. La plupart des gens croient qu'ils doivent couvrir le défunt de louanges, mais ce n'est souvent pas ce dont la personne a besoin.

- Elle doit pouvoir parler de ses sentiments.

- Elle doit se sentir autorisée à dire :

  - à quel point elle est malheureuse;

  - à quel point elle souffre;

  - si elle se sent coupable et pourquoi;

  - si elle est en colère d'avoir été laissée derrière;

  - si elle a dit quelque chose de méchant au disparu avant sa mort;

  - comment ce décès la confronte à sa propre mortalité.

Toutes ces pensées et ces émotions sont normales, et doivent être exprimées.

Médication

La médication peut être contre-productive au début du processus de deuil. Bien que les médicaments puissent vous aider à vous sentir mieux, ils peuvent intervenir dans le processus de deuil et prolonger sa durée. Il est pénible d'affronter les sentiments de perte, mais c'est la seule façon de revenir à la normale.

S'il vous est impossible de dormir les premiers jours, votre omnipraticien pourrait vous prescrire des calmants pour quelques jours seulement afin de vous aider à dormir, puis vous devrez cesser d'en prendre. Dans des circonstances extrêmes, ces calmants peuvent s'avérer utiles durant quelques journées critiques, mais ils sont à proscrire à long terme. Bien qu'ils puissent vous aider à vous sentir mieux, ils ne seront d'aucune aide pour gérer votre chagrin et vous devrez traverser ces étapes quand vous ne les prendrez plus. Ce n'est que dans le cas où le deuil se transforme en dépression qu'un traitement médicamenteux à long terme est approprié.

Auto-assistance et entraide

Il existe un grand nombre d'organisations d'entraide qui vous offriront soutien et conseils. Reportez-vous à la section « Ressources utiles » pour plus de renseignements.

Chagrin anormal

Tout le monde ne franchit pas les étapes du deuil avec la même facilité. Certaines personnes s'aperçoivent qu'elles ne font pas le cheminement normal et qu'elles ont des problèmes persistants. D'autres ont de la difficulté à ressentir du chagrin et refusent de faire face à la réalité du décès. D'autres encore sont consumées par une colère intense ou un sentiment de trahison pendant des mois. Un chagrin intense et insupportable requiert un traitement. Communiquez avec votre omnipraticien ou un thérapeute pour personnes endeuillées.

POINTS CLÉS

- Le chagrin est une réaction normale.

- La médication n'est habituellement pas requise dans un cas de deuil et peut même être contre-productive.

- Les organisations d'auto-assistance et d'entraide fournissent d'excellents services de consultation pour personnes endeuillées.

Comment aider ses proches

L'importance de parler et d'écouter

L'aide que vous êtes en mesure d'apporter à une personne chez qui vous reconnaissez les symptômes de la dépression n'a pas de prix. Sans avoir l'impression d'avoir fait grand-chose, vous aurez du moins aidé quelqu'un qui en avait besoin et peut-être même évité un suicide.

Beaucoup de gens atteints de dépression trouvent difficile d'accepter l'aide qu'on leur offre, alors ne vous laissez pas décourager. Faites preuve de patience et rappelez à la personne que vous serez là si elle souhaite parler.

Et quand la conversation a lieu, écoutez la personne avec compassion, offrez-lui du soutien et incitez-la à voir son omnipraticien. Il est inutile de dire à une personne dépressive de se secouer ou de se ressaisir. Personne n'aime être en dépression et les gens qui en souffrent ne resteraient pas dans cet état s'il était aussi simple de s'en sortir.

Le fait de parler permet à la personne de démêler ses problèmes, mais l'écoute n'est pas toujours facile. On peut se sentir mal à l'aise, particulièrement si la personne souffre et dit des choses que vous savez être fausses ou si

péribles qu'on ne sait pas comment affronter les émotions qu'elles génèrent. N'en prenez pas trop sur vos épaules.

Évitez de rassurer tout de suite la personne ou de vous empresser de lui donner des conseils. Ne vous sentez pas obligé de dire quelque chose simplement parce que vous êtes mal à l'aise. Abstenez-vous d'intervenir ou d'interrompre la personne; au contraire, laissez-lui le temps d'expliquer ce qu'elle ressent. Vous devez accepter qu'elle vive ces émotions et qu'elle voie les choses comme elle le fait. Si vous croyez qu'elle a tort, expliquez-lui pourquoi, mais évitez de vous disputer. La meilleure chose à faire est d'écouter attentivement, de reconnaître les sentiments de la personne, de montrer de la compassion et de limiter les conseils au minimum.

Souvenez-vous d'insister sur l'efficacité des traitements médicaux et assurez-lui que son état va s'améliorer.

Après la conversation, faites en sorte de rester en contact, d'être accessible et d'apporter de l'aide concrète jusqu'à ce que la personne se sente mieux. Il peut être utile de proposer à la personne de l'accompagner à son rendez-vous chez l'omnipraticien, mais il faut veiller à ne pas prendre le contrôle. Beaucoup de personnes dépressives se sentent inefficaces, et prendre des décisions à leur place empirera les choses.

Prévenir le suicide

Au Québec, chaque jour, quatre personnes s'enlèvent la vie volontairement et environ 80 personnes font une tentative de suicide (TS). Près des trois quarts des personnes qui se suicident souffrent de dépression. La plupart des gens qui ont cette maladie en guérissent. L'encadré de la page 140 dresse une liste des facteurs qui augmentent le risque de suicide. Gardez toutefois à l'esprit que toute personne gravement dépressive peut penser au suicide. Il faut donc faire preuve de vigilance.

Les tentatives de suicide ne sont pas qu'une façon d'attirer l'attention et il faut toujours les prendre au sérieux. Bien sûr, il y a des gens qui lancent un appel à l'aide en cherchant à se faire du mal – mais dans le cas où cet appel reste sans réponse, tourne mal ou survient dans le contexte d'une dépression, il pourrait présager un suicide.

Il est important de comprendre la dépression, de s'assurer qu'une personne dépressive reçoive les soins nécessaires et de rester en contact avec elle.

Il est très difficile d'aider une personne qui a des pulsions suicidaires sans aide professionnelle. Essayez de convaincre la personne dépressive de consulter un professionnel dès que vous avez la moindre inquiétude. Elle peut voir son omnipraticien, se rendre à un service des accidents ou des urgences, ou encore recevoir la visite d'un médecin ou d'une infirmière à la maison. Le service psychiatrique de votre région possède peut-être une clinique d'urgence où la personne peut se présenter.

Aider un ami qui a des pulsions suicidaires

Si vous pensez qu'une personne a des pulsions suicidaires, parlez-lui-en et écoutez-la. Demandez-lui si elle s'est déjà dit que cela ne valait pas la peine de continuer à vivre. Il y en a qui disent que oui, et même qu'elles ont pensé à s'enlever la vie; d'autres disent que non, mais avouent qu'elles se sont déjà couchées le soir en espérant ne pas se réveiller le lendemain. Ces deux types présentent des risques de suicide.

Bien sûr, certaines personnes qui veulent se suicider vont nier y avoir pensé. Il vous revient de juger si elles vous disent la vérité ou non. Pour plusieurs, le fait de pouvoir parler de leurs pulsions suicidaires est une grande libération qui pourrait même les empêcher de passer à l'acte.

Si vous ne vivez pas avec la personne, assurez-vous qu'elle a votre numéro de téléphone, le numéro de son omnipraticien, le numéro d'une ligne secours et celui d'autres services d'aide. Planifiez une prochaine rencontre à un moment précis, que ce soit dans une heure ou deux ou le lendemain, selon l'état de la personne.

Mieux encore, il serait bon de convaincre la personne de se débarrasser du paracétamol et des médicaments non essentiels qu'il peut y avoir dans sa pharmacie ainsi que de ne pas y garder de trop grandes quantités d'antidépresseurs.

Si vous pensez que la personne présente un risque imminent, ne la laissez pas seule, autant que possible, pendant que vous essayez de joindre un service d'aide.

Il est toujours préférable de discuter de ce que vous faites avec la personne touchée. Elle admettra sans doute qu'elle devrait consulter quelqu'un, mais dans le cas contraire, et si vous estimez qu'elle est vraiment en danger, vous devriez agir dans son meilleur intérêt. Le cas échéant, appelez son omnipraticien, une ligne secours ou des membres de sa famille. Vous pouvez aussi communiquer avec le service externe de psychiatrie et demander si on peut s'y présenter sans rendez-vous. Ou encore, amenez la personne dans un service des accidents et des urgences.

Si vous avez vous-même des pulsions suicidaires, cherchez à obtenir de l'aide. Parlez-en à votre conjoint, à un ami, à votre omnipraticien, à une ligne secours... à n'importe qui, mais parlez-en.

Facteurs qui augmentent le risque de suicide

La probabilité qu'une personne se suicide augmente en présence des facteurs suivants :

- Dépression grave
- Maladie physique grave accompagnée de dépression
- Avoir déjà parlé de se suicider
- Avoir fait une tentative de suicide dans le passé
- Avoir connu un suicide dans sa famille
- Avoir vécu des événements difficiles comme un divorce ou un deuil
- Être seule et isolée socialement
- Être un homme, car les hommes réussissent plus souvent leur tentative de suicide
- Être sans emploi
- Consommation de drogues illicites
- Problème d'alcool

POINTS CLÉS

- Prendre le temps d'écouter vos proches qui souffrent de dépression est la chose la plus importante que vous puissiez faire pour les aider.

- Toute personne qui a des pulsions suicidaires devrait consulter son omnipraticien, le service des accidents et des urgences de l'hôpital local ou une ligne secours afin d'obtenir de l'aide.

- La dépression se traite, et vous irez mieux.

Ressources utiles

Plusieurs des sites Internet ci-dessous donnent de l'information sur chaque « maladie », en décrivent les symptômes et expliquent éventuellement comment se fait la prise en charge dans certaines régions. Ils peuvent vous inviter à rejoindre des groupes de soutien ou des blogues : attention à ceux-ci, ils ne sont pas nécessairement encadrés par des professionnels. Enfin, ils vous tiennent au courant de l'actualité médicale et de l'état de la recherche sur ces thématiques.

Nous avons choisi des organisations qui nous ont paru sérieuses, nous ne les connaissons que de nom et nous ne pouvons nous porter garants de leurs actions. Nous vous invitons à faire preuve de discernement dans vos relations avec elles.

CANADA

SANTÉ ET SERVICES SOCIAUX QUÉBEC
Tél. : 514 644-4545 ou 1 877 644-4545
www.msss.gouv.qc.ca/sujets/prob_sante/sante_mentale

ASSOCIATION CANADIENNE POUR LA SANTÉ MENTALE
Visitez leur site Internet pour trouver votre filiale locale.
www.cmha.ca

FONDATION DES MALADIES MENTALES
Tél. : 514 525-6000 ou 1 888 529-5354
www.fmm-mif.ca

REVIVRE
5140, rue Saint-Hubert
Montréal (Québec) H2J 2Y3
Tél. : 514 738-4873 ou 1 866 738-4873
www.revivre.org

NOUVEAU REGARD
Tél. : 1 888 503-6414
www.nouveauregard.qc.ca

ASSOCIATION DES MÉDECINS PSYCHIATRES DU QUÉBEC
www.ampq.org

L'ASSOCIATION CANADIENNE DE COUNSELING
ET DE PSYCHOTHÉRAPIE
Tél. : 1 877 765-5565
www.ccpa-accp.ca/Fr/

ORDRE DES PSYCHOLOGUES DU QUÉBEC
Tél. : 1 800 363-2644
www.ordrepsy.qc.ca

TEL-JEUNES
Tél. : 1 800 263-2266
teljeunes.com

JEUNESSE J'ÉCOUTE
Tél. : 1 800 668-6868
www.jeunessejecoute.ca

EUROPE

L'ASSOCIATION FRANCE-DÉPRESSION

4, rue Vigée Lebrun
75015 PARIS
Tél. : 01 40 61 05 66
www.france-depression.org

FÉDÉRATION DES PORTES OUVERTES DE FRANCE

21, rue Duperré
75009 PARIS
Tél. : 01 48 74 69 11
Courriel : laporteouverte@free.fr

FÉDÉRATION FRANÇAISE DE PSYCHOTHÉRAPIE ET PSYCHANALYSE

Tél. : 01 44 05 95 50
www.ff2p.fr

ASSOCIATION SUISSE DES PSYCHOTHÉRAPEUTES (ASP)

Tél. : 043 268 93 00
www.psychothérapie.ch

ASSOCIATION BELGE DE PSYCHOTHÉRAPIE ASBL

Tél. : 02 477 27 05
www.abp-bvp.be

INTERNET : articles et sites sur la dépression
Dépression (psychiatrie) - Wikipédia
fr.wikipedia.org/wiki/Dépression_(psychiatrie)
En psychiatrie, la dépression est un trouble de l'humeur. Le terme provient du latin depressio, « enfoncement ». C'est autour du XIXe siècle que le terme est apparu dans son usage psychologique.

La dépression caractérise essentiellement un état de perte de motivation ou d'élan vital chez un individu, associé ou non à différents symptômes. Les symptômes les plus caractéristiques sont une perte d'espoir, d'envie, d'estime de soi. D'autres signes peuvent survenir, tels que l'anxiété ou l'angoisse, la fatigue, la tristesse, des pensées négatives, des idées noires, des intentions suicidaires ou d'autres modifications de l'humeur et, dans certains cas extrêmes, des hallucinations.

Dépression
http://www.passeportsante.net/fr/Maux/Problemes/Fie.aspx?doc=depression_pm
Dépression : qu'est-ce que c'est?, symptômes, personnes à risque, facteurs de risque, prévention, traitements médicaux, l'opinion de notre médecin, approches complémentaires, sites d'intérêt et groupes de soutien.

La dépression est une véritable maladie qui se caractérise notamment par une grande tristesse, un sentiment de désespoir, une perte de motivation et l'impression de ne pas avoir de valeur en tant qu'individu.

info-depression.fr - Page d'accueil
www.info-depression.fr
Ce site vous permettra de mieux comprendre la dépression, de connaître ses symptômes et ses traitements et de savoir où et à qui s'adresser.

La dépression caractérise essentiellement un état de perte de motivation ou d'élan vital chez un individu, associé ou non à différents symptômes. Les symptômes les plus caractéristiques sont une perte d'espoir, d'envie, d'estime de soi. D'autres signes peuvent survenir, tels que l'anxiété ou l'angoisse, la fatigue, la tristesse, des pensées négatives, des idées noires, des intentions suicidaires ou d'autres modifications de l'humeur et, dans certains cas extrêmes, des hallucinations.

DOSSIER Dépression (définition, symptômes, tests, traitement ...

www.psychomedia.qc.ca/depression/dossier/depression
La dépression (auparavant parfois appelée dépression nerveuse) est un trouble de l'humeur. Deux types de dépression sont distingués: la dépression majeure et la dysthymie. Les symptômes de la dépression majeure tranchent nettement avec le fonctionnement habituel de la personne alors que ceux de la dysthymie sont moins sévères mais chroniques. Voyez quels sont les critères diagnostiques et les symptômes de la dépression.

La dépression saisonnière et la dépression post-natale (dépression post-partum) sont des épisodes de dépression majeure.

La dépression - Association canadienne pour la santé mentale

www.cmha.ca/fr/mental_health/la-depression-et-le-trouble-bipolaire
La dépression et le trouble bipolaire.

Les troubles de l'humeur sont des maladies qui amènent les personnes qui en souffrent à ressentir des émotions intenses et prolongées qui affectent négativement leur bien-être mental, leur santé physique, leurs relations et leurs comportements. Près de dix pour cent des Canadiens souffrent d'un trouble de l'humeur à un moment quelconque de leur vie.

La dépression fait mal

ladepressionfaitmal.ca   www.ladepressionfaitmal.ca/
En savoir plus sur la dépression : symptômes émotionnels et physiques.

La dépression n'est pas simplement un changement d'humeur temporaire ou un signe de faiblesse personnelle. Il s'agit d'un problème médical grave entraînant de nombreux symptômes émotionnels, cognitifs, physiques et comportementaux.

Nombreux sont ceux qui ont honte ou ont peur de demander de l'aide. D'autres prennent leurs symptômes à la légère, ce qui les voue à souffrir en silence. Il est important de se souvenir que la dépression n'est pas un défaut de personnalité ni un problème que vous avez causé vous-même.

Lutter Contre Dépression - Évitez les maladies mentales

www.fondationdesmaladiesmentales.org/
Trouvez le support nécessaire ici.

Nous avons tous eu, chacun dans nos vies, plusieurs occasions d'être plus ou moins triste, de traverser des périodes de « déprime » suivant l'expression populaire. Il est sain que nos émotions de la vie courante puissent s'exprimer ainsi. Cependant, quand la « déprime » prend le dessus sur nos humeurs habituelles et nous empêche de mener une existence normale, quand les symptômes sont persistants et intenses et que malgré le temps, rien ne semble s'arranger, alors ce n'est plus de la « déprime » mais bel et bien une dépression. La dépression est donc bien plus que la tristesse occasionnelle ou que le simple fait « d'avoir les bleus ».

Après avoir lu cet ouvrage, vous souhaiterez peut-être obtenir davantage d'information. Internet est sans contredit une excellente source de renseignements. Vous y trouverez de nombreux sites Web offrant de l'information utile sur les troubles médicaux, les organismes de bienfaisance associés et les groupes de soutien existants.

Il convient toutefois de toujours se rappeler qu'Internet échappe à toute réglementation et que n'importe qui a la possibilité de créer un site Web et d'y insérer le contenu qu'il désire. Bon nombre de sites Web donnent des conseils et de l'information de nature impartiale, réunis et approuvés par des professionnels de la santé chevronnés. En revanche, certains sites sont gérés par des organisations commerciales et ont pour seul but de promouvoir leurs produits. D'autres encore sont des véhicules de groupes de pression; certains d'entre eux fournissent de l'information rigoureusement exacte, tandis que d'autres mettent de l'avant des médicaments ou des thérapies qui n'ont pas reçu l'aval des communautés médicale et scientifique.

À moins de connaître l'adresse exacte du site Web que voulez consulter, vous pouvez tirer profit des conseils qui suivent pour effectuer des recherches dans Internet.

Moteurs de recherche et autres sites utiles pour la recherche :

Google est l'un des moteurs de recherche les plus populaires à l'échelle internationale, suivi de Yahoo et de MSN. Il existe d'autres moteurs de recherche proposés par les fournisseurs d'accès à Internet, comme Tiscali, ainsi que d'autres.

Outre les moteurs de recherche qui indexent le contenu du Web en entier, on peut utiliser des sites médicaux offrant des options de recherche, qui sont en quelque sorte des mini-moteurs de recherche limités à des thèmes médicaux ou à une branche précise de la médecine. Rappelons qu'il est sage de vérifier qui a réuni l'information fournie afin de s'assurer que le contenu est impartial et exact du point de vue médical.

Certains sites Web proposent des liens vers plusieurs organismes de bienfaisance relatifs à la médecine.

Mots clés

Soyez précis lorsque vous entrez des mots clés dans un moteur de recherche. Le mot clé « cancer » donnera des résultats pour différents types de cancer ainsi que pour le cancer en général. La liste pourrait même contenir des sites traitant du signe astrologique. Des liens plus utiles apparaîtront si vous entrez par exemple les mots clés « cancer du poumon » ou « traitement du cancer du poumon ». Google et Yahoo offrent tous deux une option de recherche avancée qui permet de rechercher une suite de mots précise; mettre les mots clés entre guillemets, par exemple « "traitements contre le cancer du poumon" », a le même effet. Le fait de limiter une recherche à des mots précis réduit le nombre de résultats, mais il est utile de le faire si vous n'obtenez pas de résultats utiles avec une recherche classique. En ajoutant « ca ou fr ou autre » à vos mots clés, vous limitez les résultats à des liens vers des sites du pays que vous désirez. N'incluez pas le pays dans les guillemets.

Il convient toutefois de toujours se rappeler qu'Internet est international et qu'il échappe à toute réglementation pouvant être et que n'importe qui a la possibilité de créer un site Web et d'y insérer le contenu qu'il désire. Bon nombre de sites Web donnent des conseils et de l'information de nature impartiale, réunis et approuvés par des professionnels de la santé chevronnés.

Index

Votre journal

Nous avons inclus les pages ci-après en vue de vous aider à gérer votre maladie et son traitement.

Avant de fixer un rendez-vous avec votre médecin de famille, il serait utile de dresser une courte liste des questions que vous voulez poser et des choses que vous ne comprenez pas afin de ne rien oublier.

Certaines des sections peuvent ne pas s'appliquer à votre cas.

Soins de santé : personnes-ressources

Nom : _____

Titre : _____

Travail : _____

_____

Tél. : _____

Nom : _____

Titre : _____

Travail : _____

_____

Tél. : _____

Nom : _____

Titre : _____

Travail : _____

_____

Tél. : _____

Nom : _____

Titre : _____

Travail : _____

_____

Tél. : _____

Soins de santé : personnes-ressources

Nom :

Titre :

Travail :

Tél. :

Nom :

Titre :

Travail :

Tél. :

Nom :

Titre :

Travail :

Tél. :

Nom :

Titre :

Travail :

Tél. :

Antécédents médicaux — maladies, chirurgies, examens ou traitements

Événement	Mois	Année	Âge (au moment de l'événement)

Rendez-vous pour soins de santé

Nom :

Endroit :

Date :

Heure :

Tél. :

Nom :

Endroit :

Date :

Heure :

Tél. :

Nom :

Endroit :

Date :

Heure :

Tél. :

Nom :

Endroit :

Date :

Heure :

Tél. :

Rendez-vous pour soins de santé

Nom :

Endroit :

Date :

Heure :

Tél. :

Nom :

Endroit :

Date :

Heure :

Tél. :

Nom :

Endroit :

Date :

Heure :

Tél. :

Nom :

Endroit :

Date :

Heure :

Tél. :

Médicament(s) actuellement prescrit(s) par votre médecin

Nom du médicament :

Raison :

Posologie et fréquence :

Début de l'ordonnance :

Fin de l'ordonnance :

Nom du médicament :

Raison :

Posologie et fréquence :

Début de l'ordonnance :

Fin de l'ordonnance :

Nom du médicament :

Raison :

Posologie et fréquence :

Début de l'ordonnance :

Fin de l'ordonnance :

Nom du médicament :

Raison :

Posologie et fréquence :

Début de l'ordonnance :

Fin de l'ordonnance :

Autres médicaments/suppléments que vous prenez sans une ordonnance de votre médecin

Nom du médicament / traitement :

Raison :

Posologie et fréquence :

Début de la prise :

Fin de la prise :

Nom du médicament / traitement :

Raison :

Posologie et fréquence :

Début de la prise :

Fin de la prise :

Nom du médicament / traitement :

Raison :

Posologie et fréquence :

Début de la prise :

Fin de la prise :

Nom du médicament / traitement :

Raison :

Posologie et fréquence :

Début de la prise :

Fin de la prise :

Questions à poser lors de la consultation

Questions à poser lors de la consultation

Questions à poser lors de la consultation

Questions à poser lors de la consultation

Notes

Notes

Notes

Notes

Notes

Centre universitaire
de santé McGill

McGill University
Health Centre

Centre de ressources McConnell
McConnell Resource Centre

Local B RC.0078, Site Glen
1001 Boul. Décarie, Montreal QC H4A 3J1

Room B RC.0078, Glen Site
1001 Decarie Blvd, Montreal QC H4A 3J1

514-934-1934, #22054
crp-prc@muhc.mcgill.ca